하루 10분 서술형/문장제 학습지

씨투엠

# 수학 독해

## S4 속성 분류

5세~7세

씨투엠

# 수학독해 : 수학을 스스로 읽고 해결하다

객관식이나 간단한 단답형 문제는 자신 있는데 긴 문장이나 풀이 과정을 쓰라는 문제는 어려워하는 아이들이 있어요. 빠르고 정확하게 연산하고 교과 응용문제까지도 곧잘 풀어내지만, 문제 속 상황이 약간만 복잡해지면 문제를 풀려고도 하지 않는 아이들도 많아요. 이러한 아이들에게 부족한 것은 연산 능력이나 문제 해결력보다는 독해력과 표현력입니다. 특히 수학적 텍스트를 이해하고 표현하는 능력, 즉 수학 독해력이지요.

요즘 아이들의 독해력이 약해진 가장 큰 이유는 과거에 비해 이야기를 만나는 방식이 다양해졌기 때문이에요. 예전에는 대부분 말이나 글로써만 이야기를 접했어요. 텍스트 위주로 여러 가지 사건을 간접 체험하고, 머릿 속으로 상황을 그려내는 훈련이 자연스럽게 이루어졌지요. 반면 요즘 아이들은 글보다도 TV나 스마트폰 등 영상매체에 훨씬 빨리, 자주 노출되기에 글을 통해 상상을 할 필요가 점점 없어지게 되었습니다.

그렇다고 아이들에게 어렸을 때부터 영화나 애니메이션을 못 보게 하고 책만 읽게 하는 것은 바람직하지 않고, 가능하지도 않아요. 시각 매체는 그 자체로 많은 장점이 있기 때문에 지금의 아이들은 예전 세대에 비해 이미지에 대한 이해력과 적용력이 매우 뛰어나답니다. 문제는 아직까지 모든 학습과 평가 방식이 여전히 텍스트 위주이기 때문에 지금도 아이들에게 독해력이 중요하다는 점이에요. 그래서 저희는 영상 매체에는 익숙하지만 말이나 글에는 약한 아이들을 위한 새로운 수학 독해력 향상 프로그램인 씨투엠 수학독해를 기획하게 되었어요.

씨투엠 수학독해는 기존 문장제/서술형 교재들보다 더욱 쉽고 간단한 학습법을 보여주려 해요. 문제에 있는 문장과 표현 하나하나마다 따로 접근하여 아이들이 어려워하는 포인트를 찾고, 각 포인트마다 직관적인 활동을 통해 독해력과 표현력을 차근차근 끌어올리려고 합니다. 또한 문제 이해와 풀이 서술 과정을 단계별로 세세하게 나누어 문장제, 서술형 문제를 부담 없이 체계적으로 연습할 수 있어요. 새로운 문장제 학습법인 씨투엠 수학독해가 문장제 문제에 특히 어려움을 겪고 있거나 앞으로 서술형 문제를 좀 더 잘 대비하고 싶은 아이들에게 큰 도움이 될 것이라 자신합니다.

씨투엠

# 수학독해의 구성과 특징

- 매일 부담없이 2쪽씩, 하루 10분 문장제 학습
- 매주 5일간 단계별 활동, 6일차는 중요 문장제 확인학습
- 5회분의 진단평가로 테스트 및 복습

## 주차별 구성

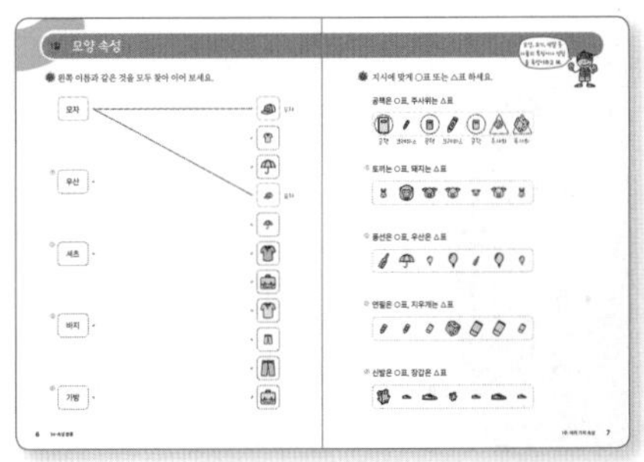

### 일일학습

꼬마 수학자들의 간단한 팁과 함께 매일 새롭게 만나는 단계별 문장제 활동

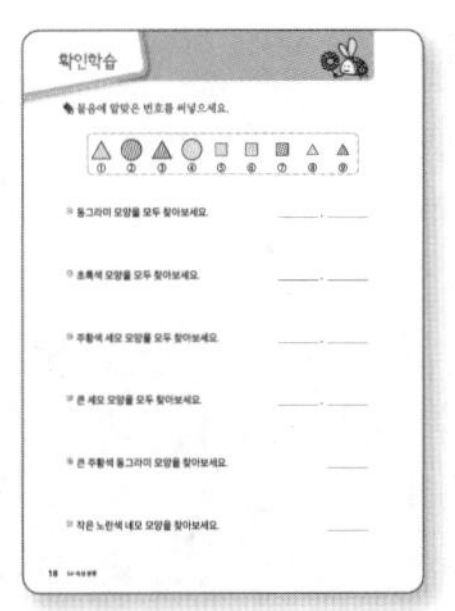

### 확인학습

중요 문장제 활동을 다시 한번 확인하며 주차 학습 마무리

| 주차 | 1일 | 2일 | 3일 | 4일 | 5일 | 확인학습 |
| --- | --- | --- | --- | --- | --- | --- |
| 1주차 | 6쪽 ~ 7쪽 | 8쪽 ~ 9쪽 | 10쪽 ~ 11쪽 | 12쪽 ~ 13쪽 | 14쪽 ~ 15쪽 | 16쪽 ~ 18쪽 |
| 2주차 | 20쪽 ~ 21쪽 | 22쪽 ~ 23쪽 | 24쪽 ~ 25쪽 | 26쪽 ~ 27쪽 | 28쪽 ~ 29쪽 | 30쪽 ~ 32쪽 |
| 3주차 | 34쪽 ~ 35쪽 | 36쪽 ~ 37쪽 | 38쪽 ~ 39쪽 | 40쪽 ~ 41쪽 | 42쪽 ~ 43쪽 | 44쪽 ~ 46쪽 |
| 4주차 | 48쪽 ~ 49쪽 | 50쪽 ~ 51쪽 | 52쪽 ~ 53쪽 | 54쪽 ~ 55쪽 | 56쪽 ~ 57쪽 | 58쪽 ~ 60쪽 |

## 진단평가 구성

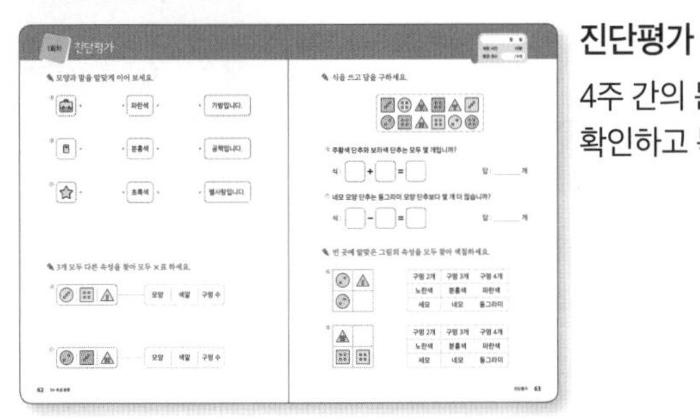

### 진단평가

4주 간의 문장제 학습에서 부족한 부분을 확인하고 복습하기 위한 자가 진단 테스트

| 진단평가 | 1회 | 2회 | 3회 | 4회 | 5회 |
| --- | --- | --- | --- | --- | --- |
| | 62쪽 ~ 63쪽 | 64쪽 ~ 65쪽 | 66쪽 ~ 67쪽 | 68쪽 ~ 69쪽 | 70쪽 ~ 71쪽 |

# 이 책의 차례

1주차

# 여러 가지 속성

# 1일 모양 속성

❀ 왼쪽 이름과 같은 것을 모두 찾아 이어 보세요.

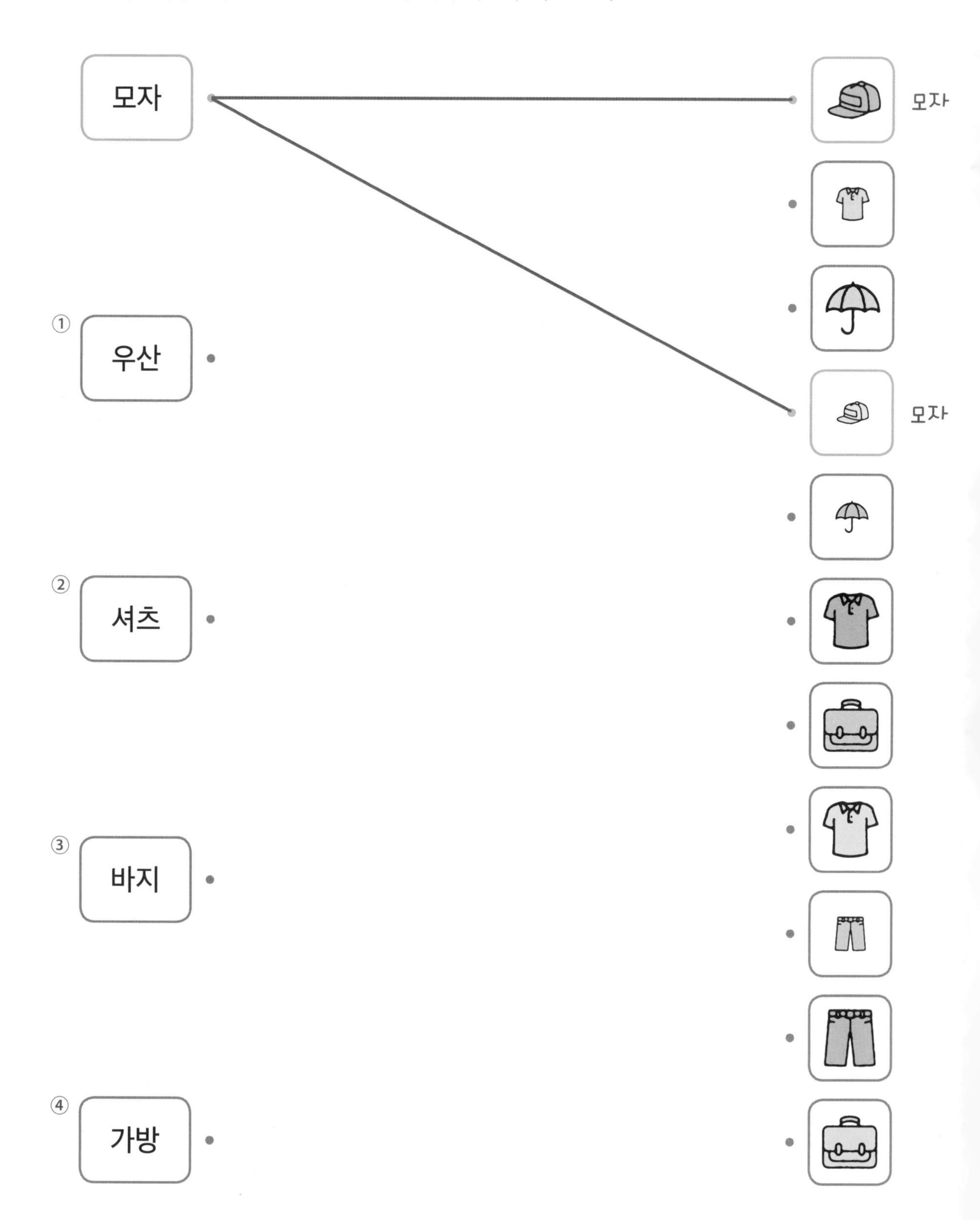

## 지시에 맞게 ○표 또는 △표 하세요.

공책은 ○표, 주사위는 △표

① 토끼는 ○표, 돼지는 △표

② 풍선은 ○표, 우산은 △표

③ 연필은 ○표, 지우개는 △표

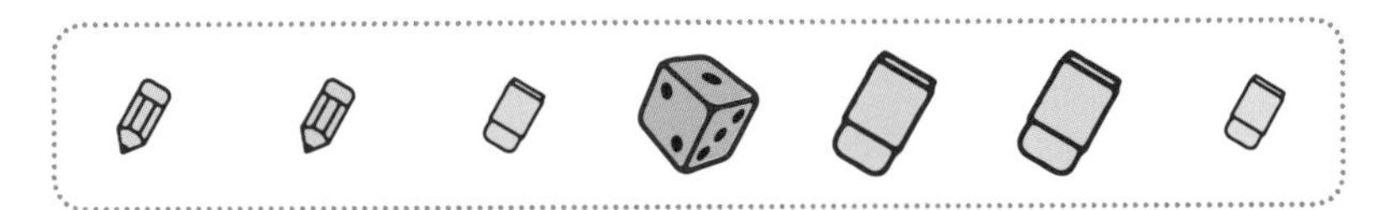

④ 신발은 ○표, 장갑은 △표

# 2일 세모, 네모, 동그라미

나머지와 다른 모양 하나를 찾아 ×표 하세요.

①

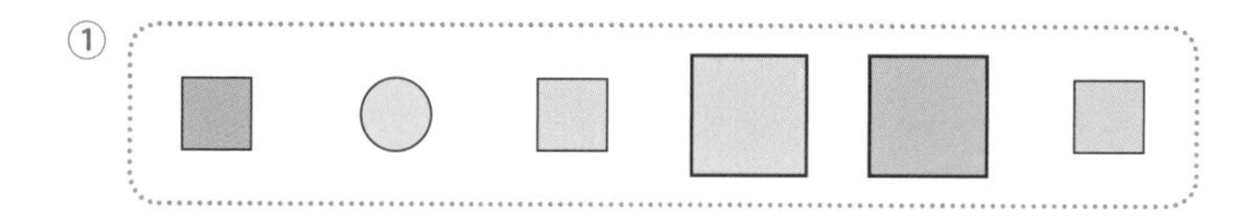

②

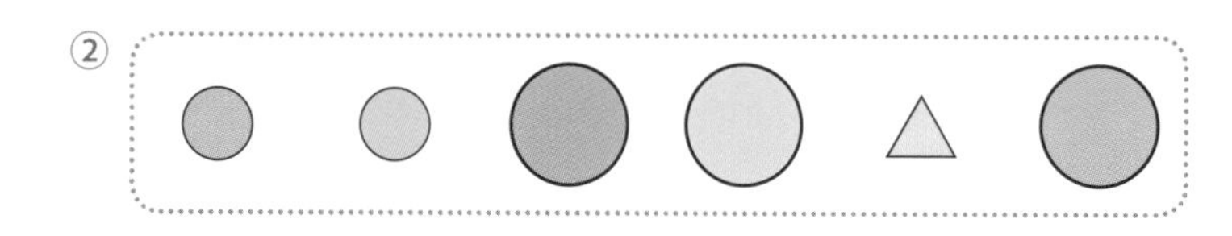

③

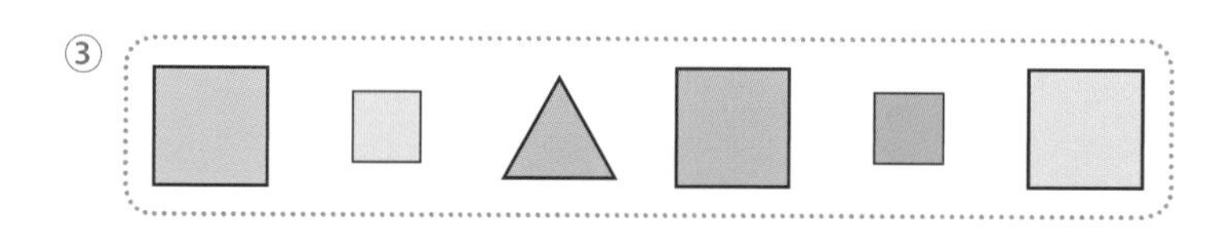

④

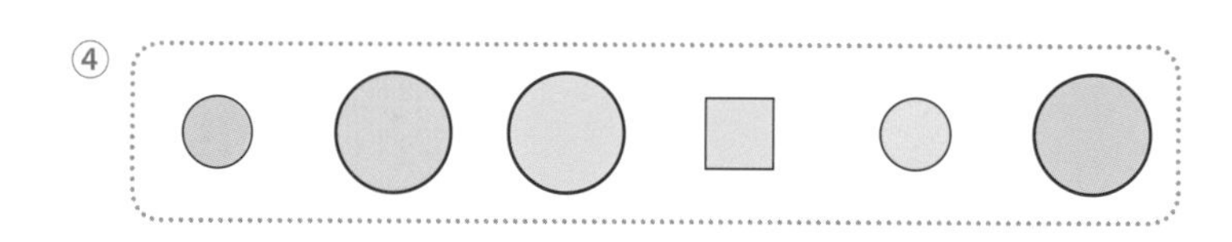

⑤

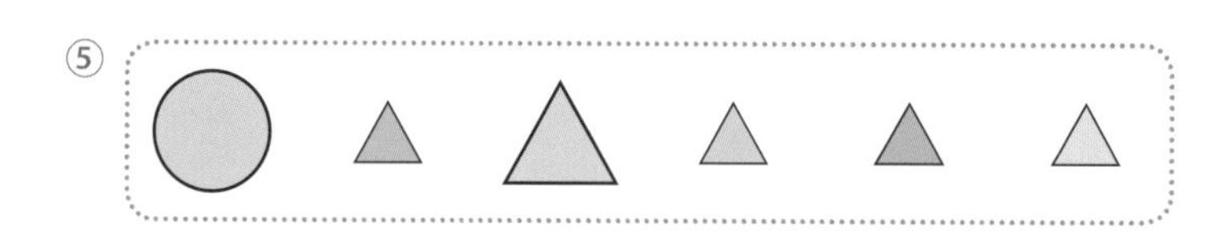

그림을 보고 알맞은 말을 찾아 ○표 하세요.

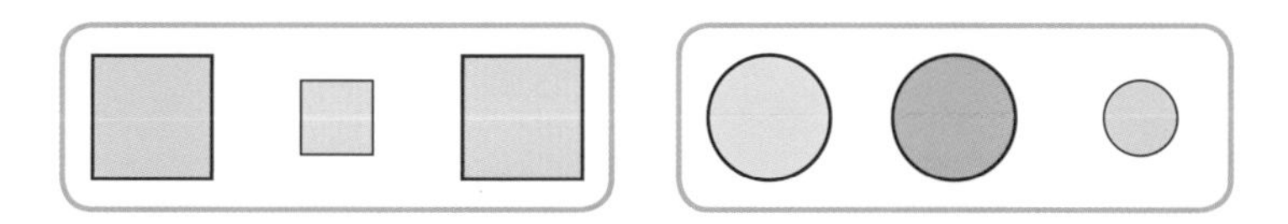

왼쪽 모둠은 ( 세모 , 네모 , 동그라미 ) 모양입니다.

① 오른쪽 모둠은 ( 세모 , 네모 , 동그라미 ) 모양입니다.

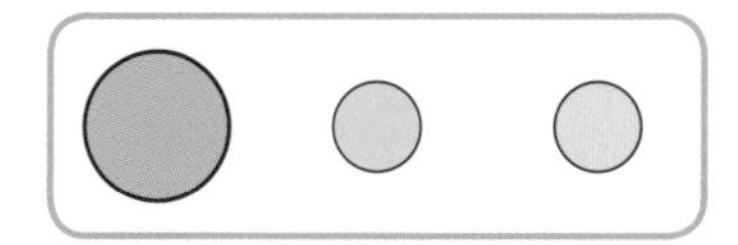

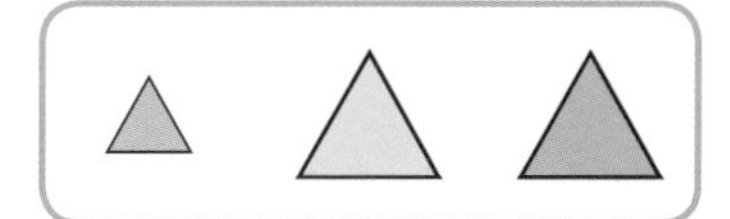

② 왼쪽 모둠은 ( 세모 , 네모 , 동그라미 ) 모양입니다.

③ 오른쪽 모둠은 ( 세모 , 네모 , 동그라미 ) 모양입니다.

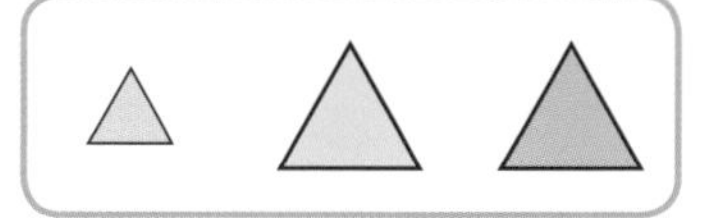

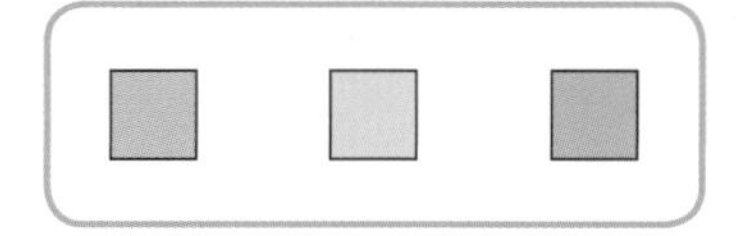

④ 왼쪽 모둠은 ( 세모 , 네모 , 동그라미 ) 모양입니다.

⑤ 오른쪽 모둠은 ( 세모 , 네모 , 동그라미 ) 모양입니다.

# 3일 큰 것, 작은 것

그림을 보고 알맞은 말을 찾아 ○표 하세요.

왼쪽 버섯이 오른쪽 버섯보다 더 ( 큽니다 , 작습니다 ).

① 

왼쪽 솜사탕이 오른쪽 솜사탕보다 더 ( 큽니다 , 작습니다 ).

② 

왼쪽 버스가 오른쪽 버스보다 더 ( 큽니다 , 작습니다 ).

③ 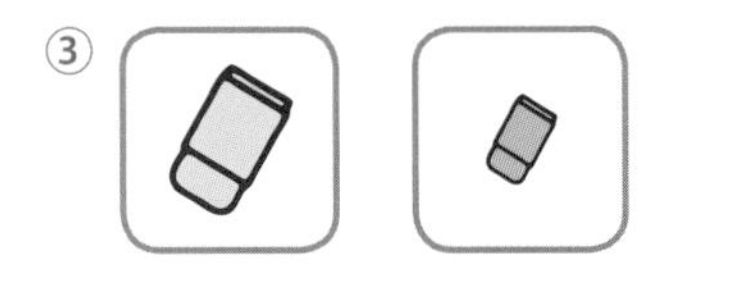

오른쪽 지우개가 왼쪽 지우개보다 더 ( 큽니다 , 작습니다 ).

④ 

오른쪽 유리병이 왼쪽 유리병보다 더 ( 큽니다 , 작습니다 ).

왼쪽 모양에 맞게 길을 이어 보세요.

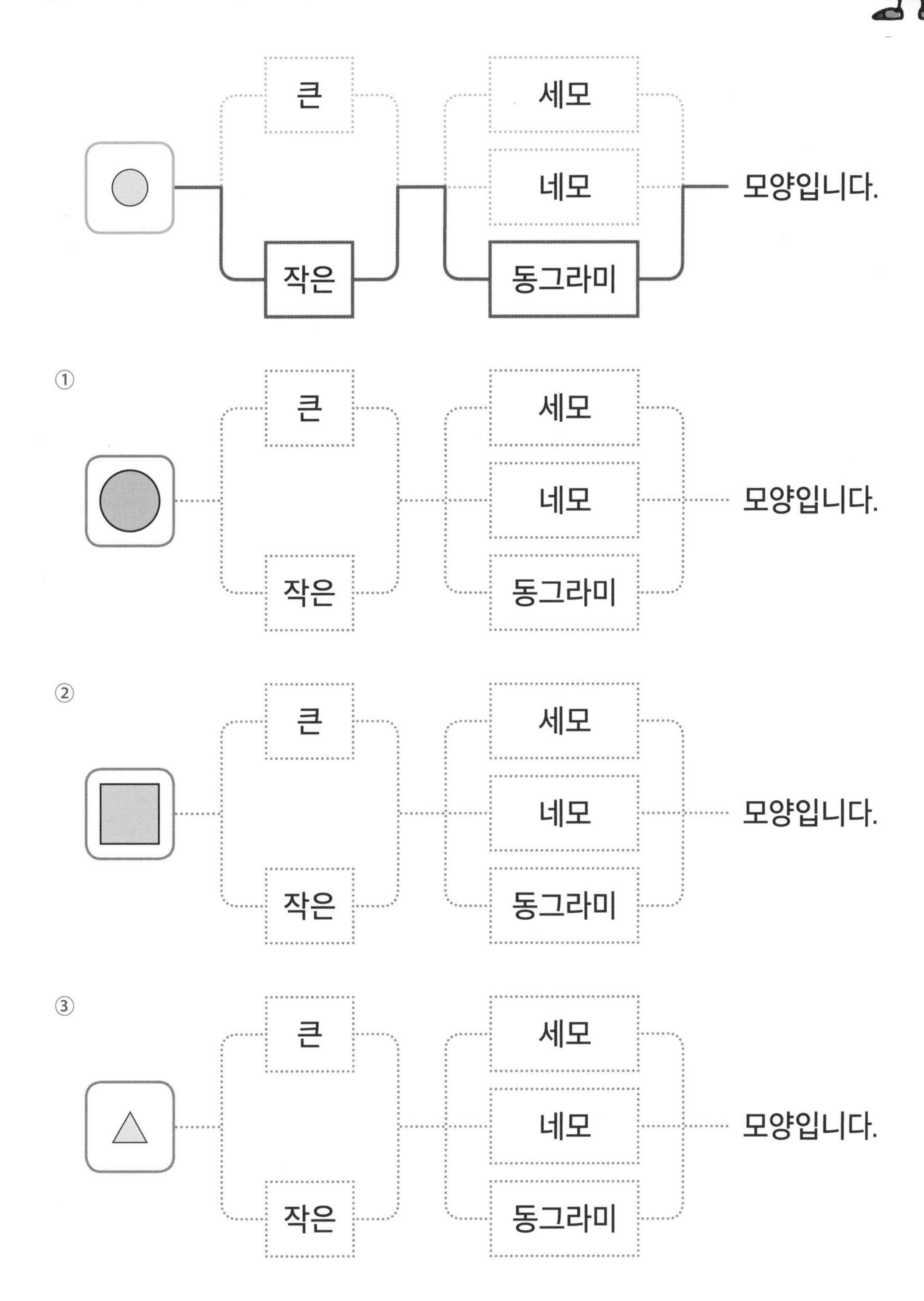

# 4일 색깔 속성

모양과 말을 알맞게 이어 보세요.

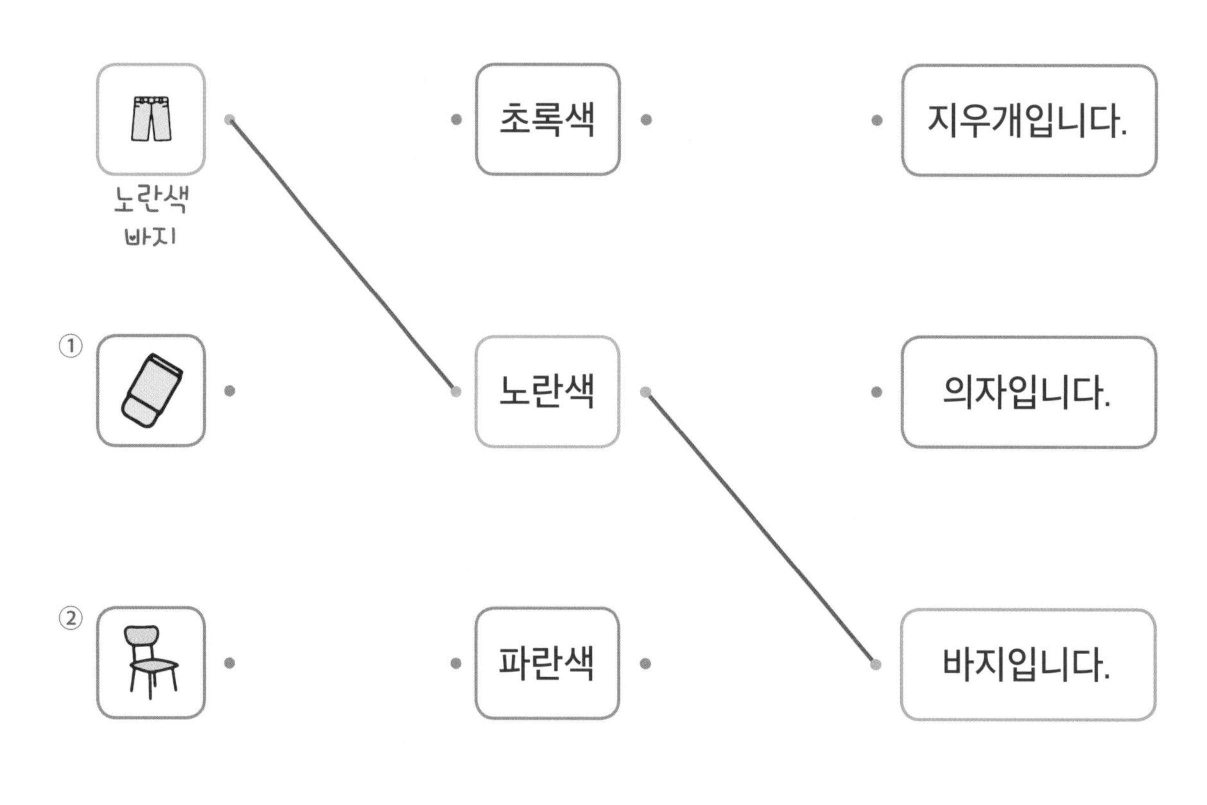

여러 가지 색깔은
물건이 햇빛을 받아서
보이는 거라구!


## 그림을 보고 알맞은 말에 ○표 하세요.

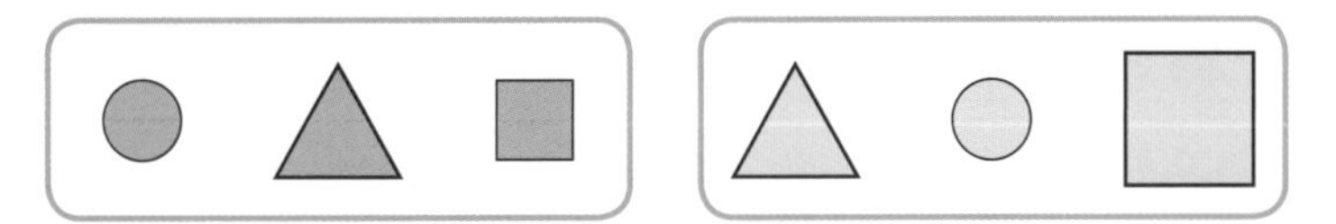

왼쪽 모둠은 ( 주황색 , 초록색 , 파란색 ) 모양입니다.

① 오른쪽 모둠은 ( 주황색 , 초록색 , 파란색 ) 모양입니다.

② 왼쪽 모둠은 ( 노란색 , 보라색 , 주황색 ) 모양입니다.

③ 오른쪽 모둠은 ( 노란색 , 보라색 , 주황색 ) 모양입니다.

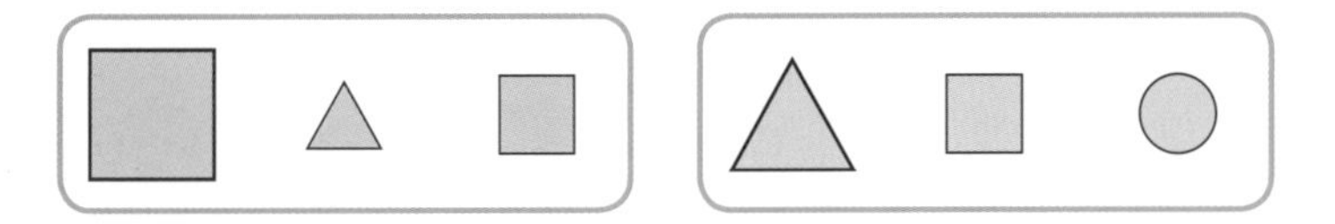

④ 왼쪽 모둠은 ( 보라색 , 분홍색 , 파란색 ) 모양입니다.

⑤ 오른쪽 모둠은 ( 보라색 , 분홍색 , 파란색 ) 모양입니다.

# 5일 속성 세 고개

세 가지 설명에 모두 맞는 것을 찾아 ○표 하세요.

이것은 별사탕입니다. 이것은 노란색입니다. 이것은 작습니다.

① 이것은 의자입니다. 이것은 초록색입니다. 이것은 큽니다.

② 이것은 튤립입니다. 이것은 주황색입니다. 이것은 작습니다.

③ 이것은 자전거입니다. 이것은 보라색입니다. 이것은 큽니다.

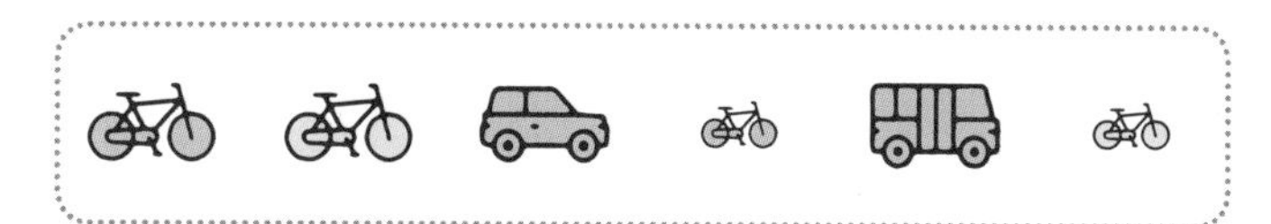

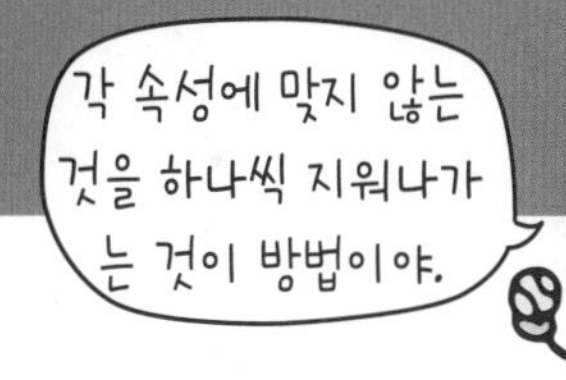

 물음에 알맞은 번호를 써넣으세요.

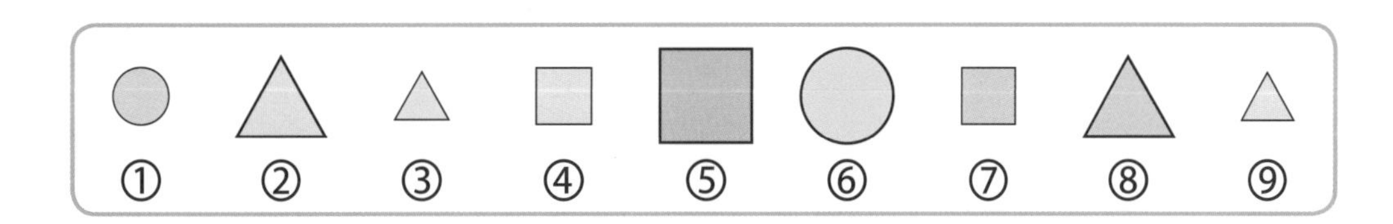


동그라미 모양을 모두 찾아보세요. 1 , 6

① 노란색 모양을 모두 찾아보세요. ______ , ______

② 초록색 세모 모양을 모두 찾아보세요. ______ , ______

③ 작은 네모 모양을 모두 찾아보세요. ______ , ______

④ 작은 분홍색 동그라미 모양을 찾아보세요. ______

⑤ 작은 초록색 네모 모양을 찾아보세요. ______

# 확인학습

✎ 왼쪽 모양에 맞게 길을 이어 보세요.

①
큰
작은
세모
네모
동그라미
모양입니다.
②
큰
작은
세모
네모
동그라미
모양입니다.

✎ 모양과 말을 알맞게 이어 보세요.

③
주황색
우산입니다.
④
노란색
신발입니다.
⑤
보라색
셔츠입니다.

그림을 보고 알맞은 말에 ○표 하세요.

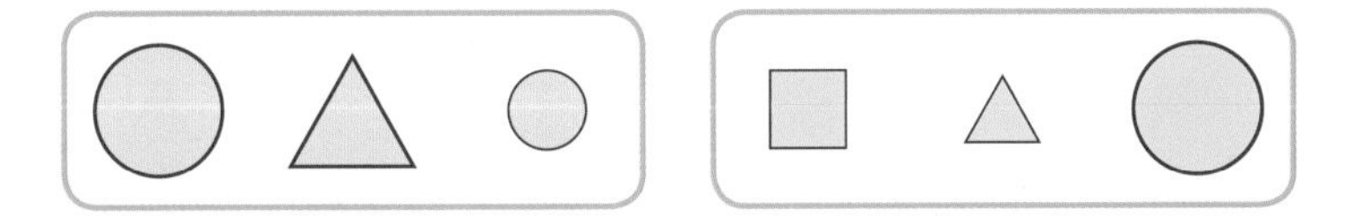

⑥ 왼쪽 모둠은 ( 노란색 , 보라색 , 초록색 ) 모양입니다.

⑦ 오른쪽 모둠은 ( 노란색 , 보라색 , 초록색 ) 모양입니다.

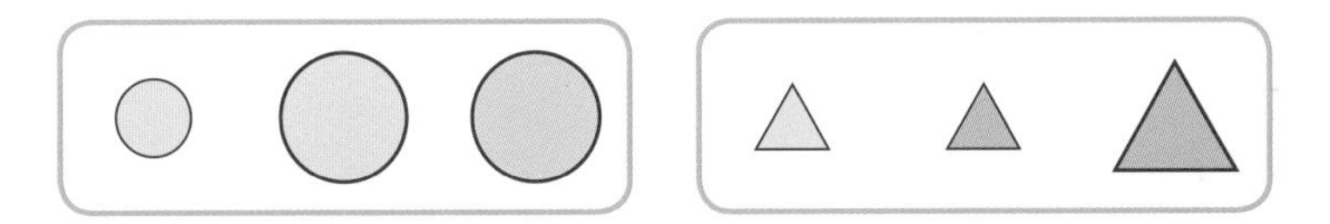

⑧ 왼쪽 모둠은 ( 세모 , 네모 , 동그라미 ) 모양입니다.

⑨ 오른쪽 모둠은 ( 세모 , 네모 , 동그라미 ) 모양입니다.

세 가지 설명에 모두 맞는 것을 찾아 ○표 하세요.

⑩ 이것은 버스입니다. 이것은 노란색입니다. 이것은 큽니다.

⑪ 이것은 유리병입니다. 이것은 분홍색입니다. 이것은 작습니다.

# 확인학습

물음에 알맞은 번호를 써넣으세요.

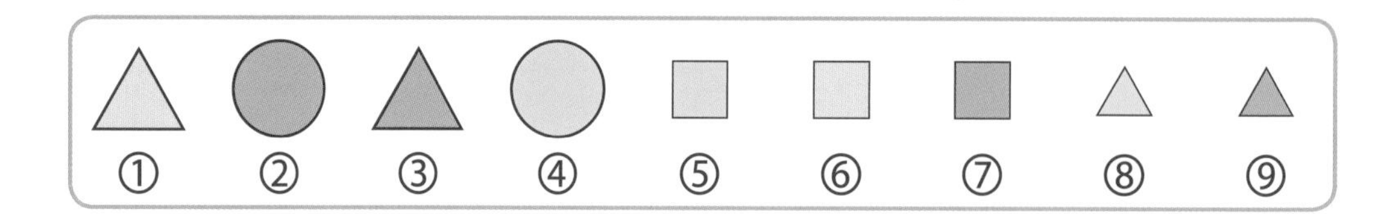


⑫ 동그라미 모양을 모두 찾아보세요. ________ , ________

⑬ 초록색 모양을 모두 찾아보세요. ________ , ________

⑭ 주황색 세모 모양을 모두 찾아보세요. ________ , ________

⑮ 큰 세모 모양을 모두 찾아보세요. ________ , ________

⑯ 큰 주황색 동그라미 모양을 찾아보세요. ________

⑰ 작은 노란색 네모 모양을 찾아보세요. ________

2주차

# 같은 점과 다른 점

# 모양과 크기

❀ 왼쪽과 모양이 같은 것을 모두 찾아 ○표 하세요.

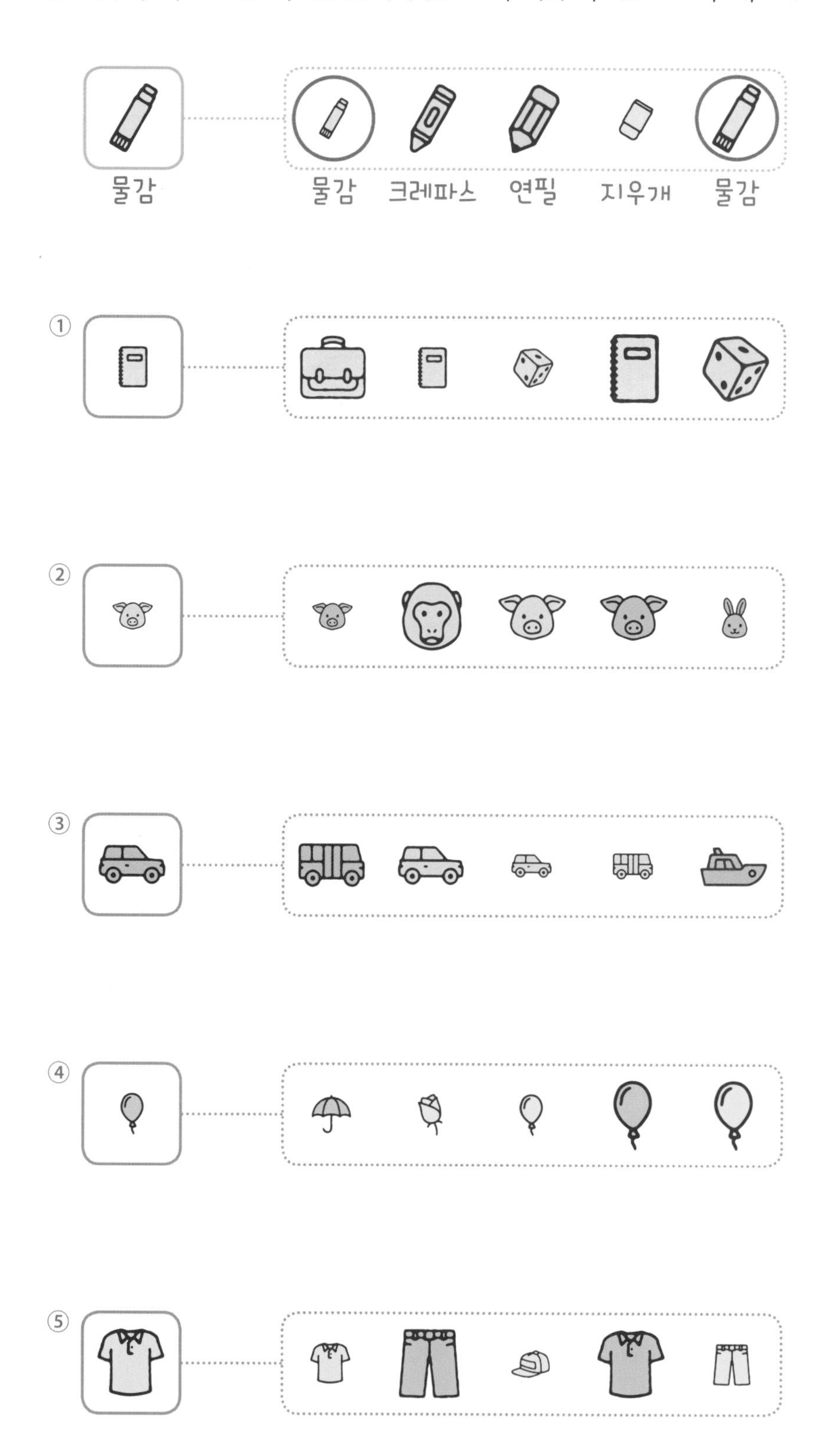

모양과 크기가
각각 같은지
다른지 살펴봐.


두 그림을 보고 알맞은 말에 ○표 하세요.

 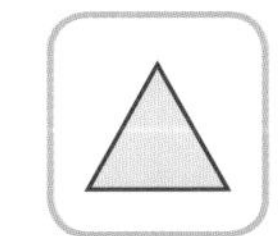

두 세모 모양은 크기가 ( 같습니다 , 다릅니다 ).

① 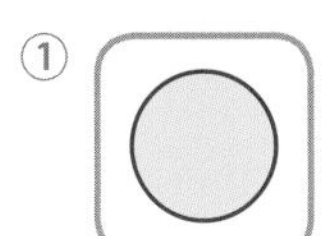 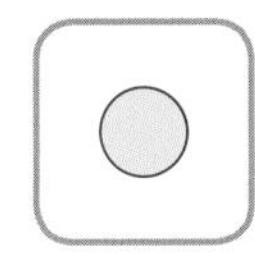

두 동그라미 모양은 크기가 ( 같습니다 , 다릅니다 ).

② 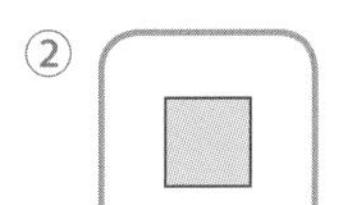 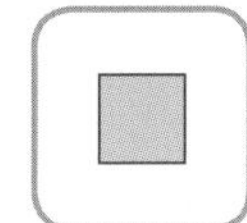

두 네모 모양은 크기가 ( 같습니다 , 다릅니다 ).

③ 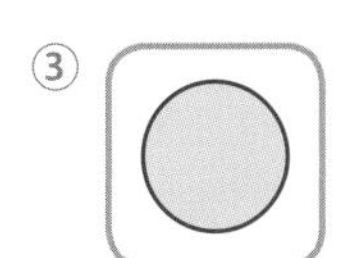 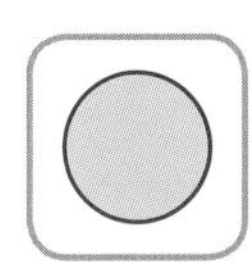

두 동그라미 모양은 크기가 ( 같습니다 , 다릅니다 ).

④ 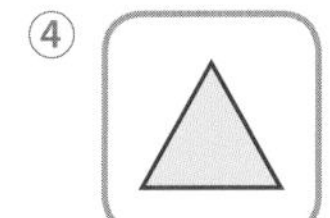 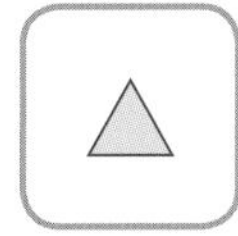

두 세모 모양은 크기가 ( 같습니다 , 다릅니다 ).

# 2일 모양과 색깔

색깔이 같은 것끼리 이어 보세요.

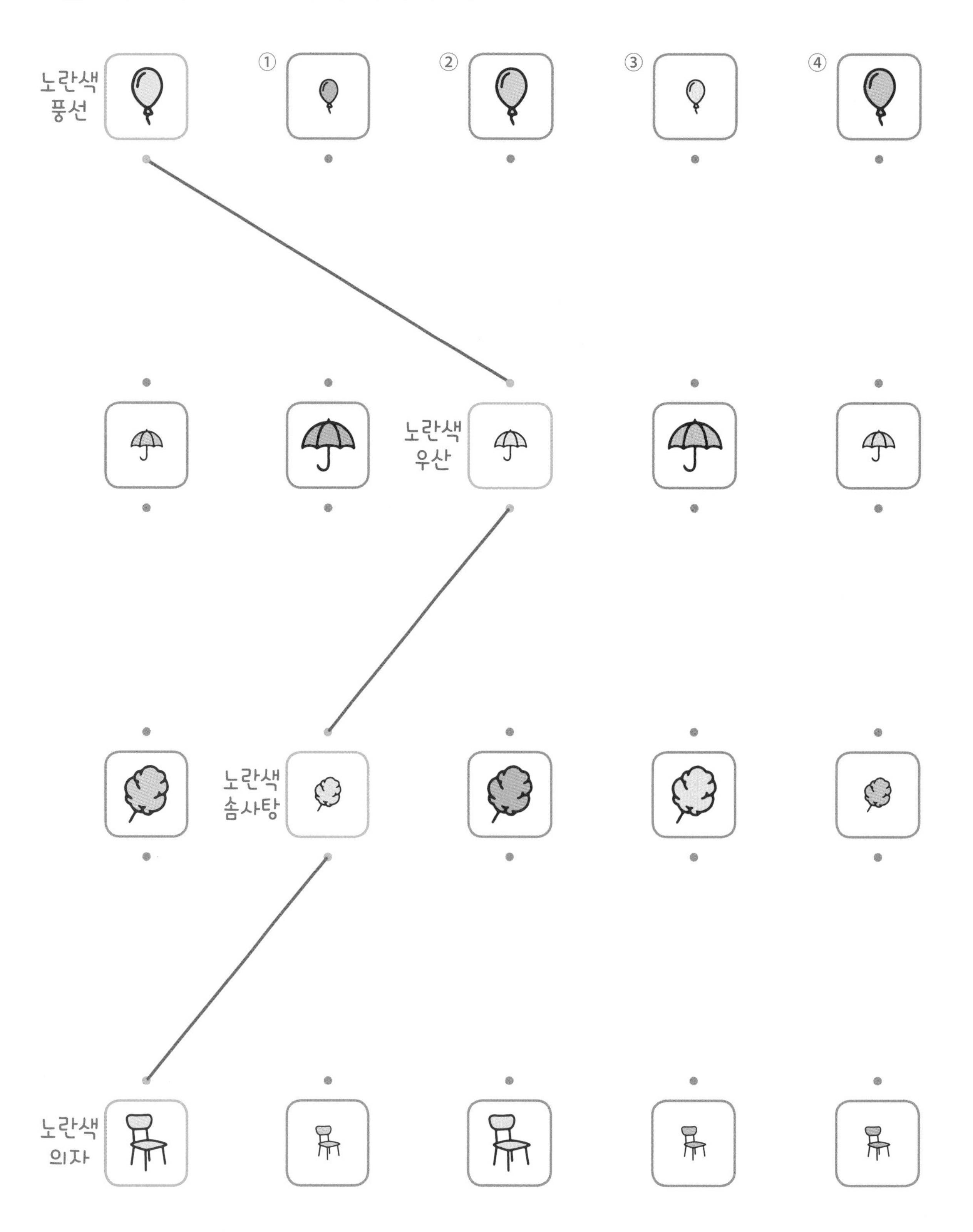

## 두 그림을 보고 알맞은 말에 ○표 하세요.

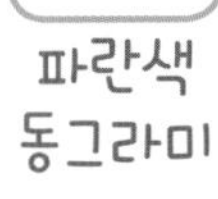

분홍색 동그라미 / 파란색 동그라미

둘은 모양이 ( 같습니다 , 다릅니다 ).

둘은 색깔이 ( 같습니다 , 다릅니다 ).

①

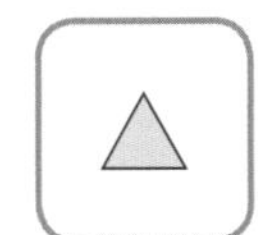

둘은 모양이 ( 같습니다 , 다릅니다 ).

둘은 색깔이 ( 같습니다 , 다릅니다 ).

②

둘은 모양이 ( 같습니다 , 다릅니다 ).

둘은 색깔이 ( 같습니다 , 다릅니다 ).

③

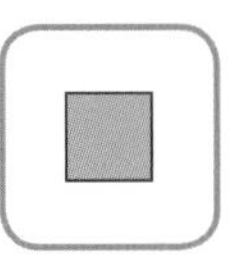 

둘은 모양이 ( 같습니다 , 다릅니다 ).

둘은 색깔이 ( 같습니다 , 다릅니다 ).

④

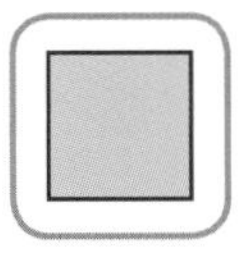 

둘은 모양이 ( 같습니다 , 다릅니다 ).

둘은 색깔이 ( 같습니다 , 다릅니다 ).

# 3일 색깔과 개수

두 그림을 보고 알맞은 말에 ○표 하세요.

별의 색깔이 ( 같고 , 다르고 ), 개수가 ( 같습니다 , 다릅니다 ).

①

별의 색깔이 ( 같고 , 다르고 ), 개수가 ( 같습니다 , 다릅니다 ).

②

별의 색깔이 ( 같고 , 다르고 ), 개수가 ( 같습니다 , 다릅니다 ).

③

별의 색깔이 ( 같고 , 다르고 ), 개수가 ( 같습니다 , 다릅니다 ).

④

별의 색깔이 ( 같고 , 다르고 ), 개수가 ( 같습니다 , 다릅니다 ).

모양, 크기, 색깔과 같이 개수도 속성의 하나야.

## 두 단추 그림을 보고 알맞게 길을 이어 보세요.

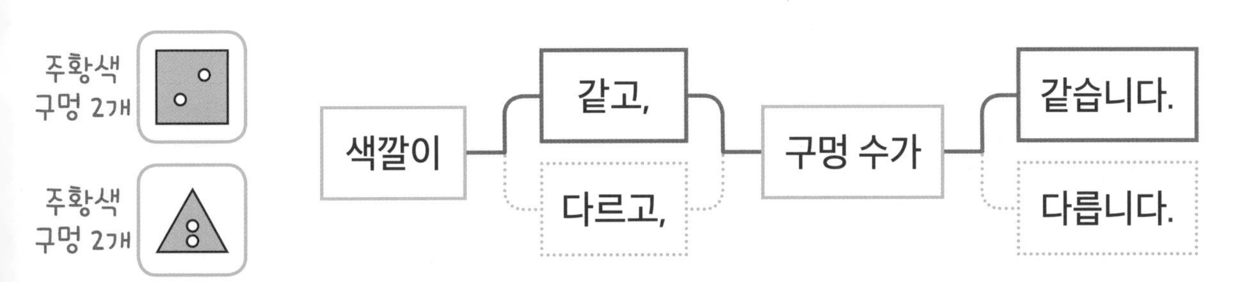


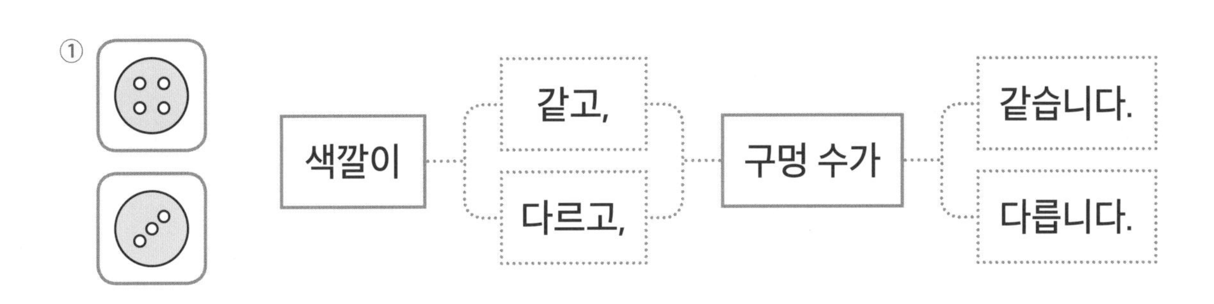


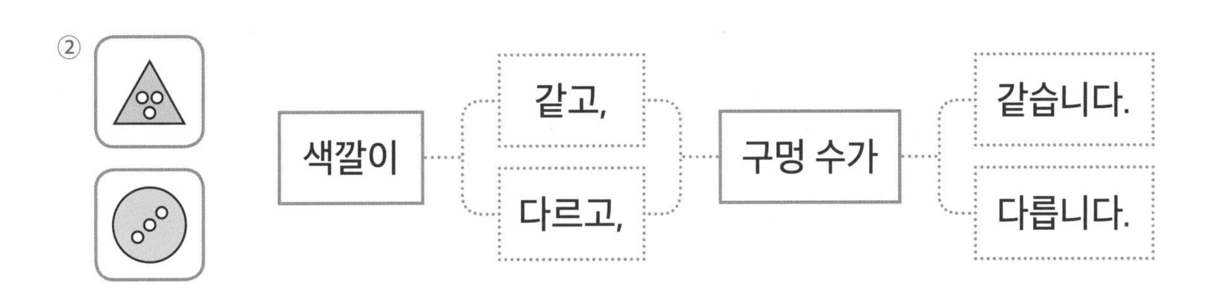


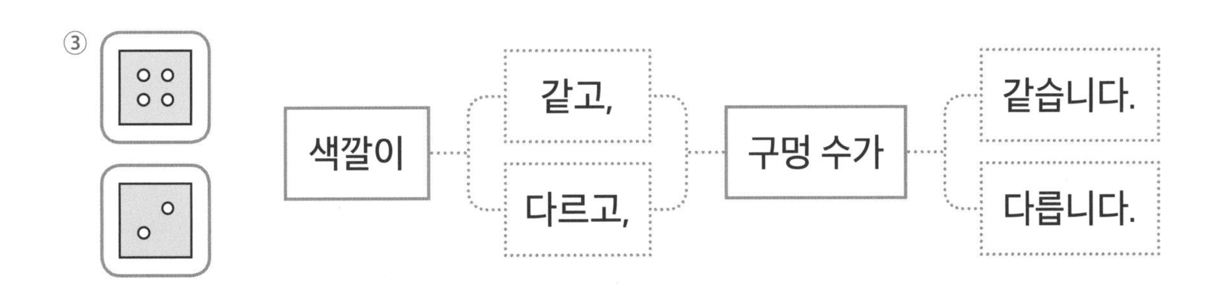

# 4일 같은 속성, 다른 속성

같은 속성에 ○표, 다른 속성에 ×표 하세요.

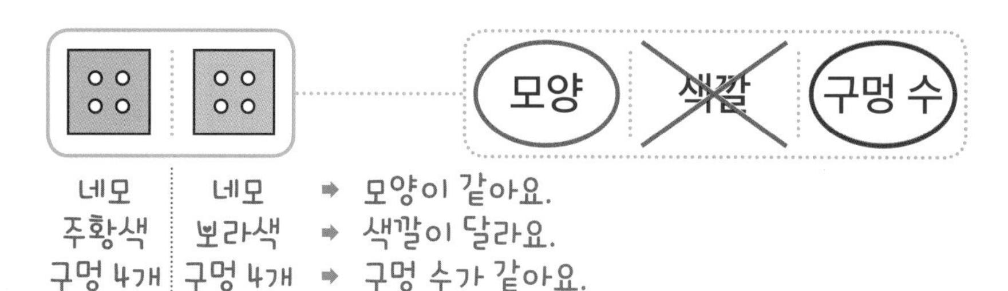


①

②

③

④

모양, 색깔, 구멍 수
중 한 가지 속성이 같은
3개를 먼저 찾아봐.


## 나머지와 다른 하나에 ×표 하고, 다른 이유를 말해 보세요.

노란색 분홍색 분홍색 분홍색

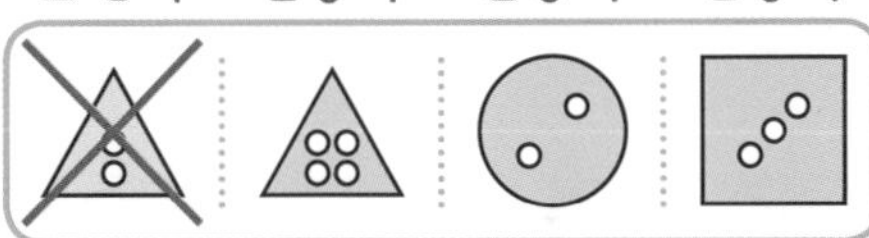

나머지 단추와 ( 모양이 , 색깔이 , 구멍 수가 ) 다릅니다.

①

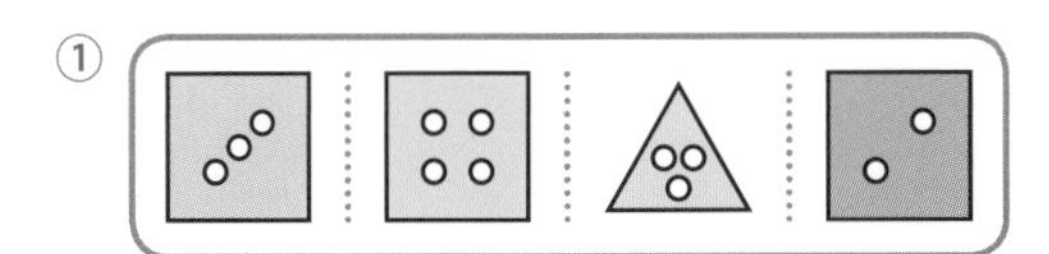

나머지 단추와 ( 모양이 , 색깔이 , 구멍 수가 ) 다릅니다.

②

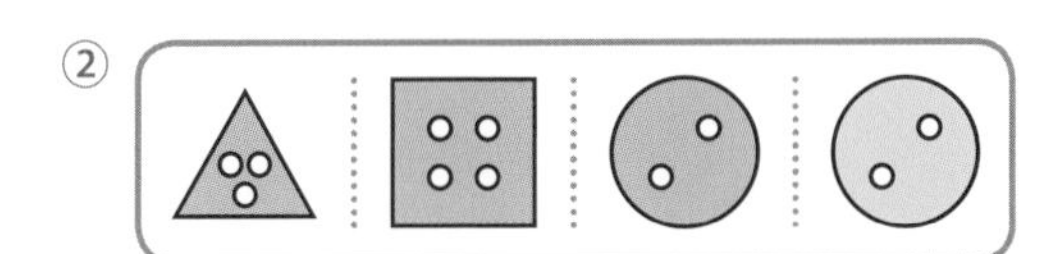

나머지 단추와 ( 모양이 , 색깔이 , 구멍 수가 ) 다릅니다.

③

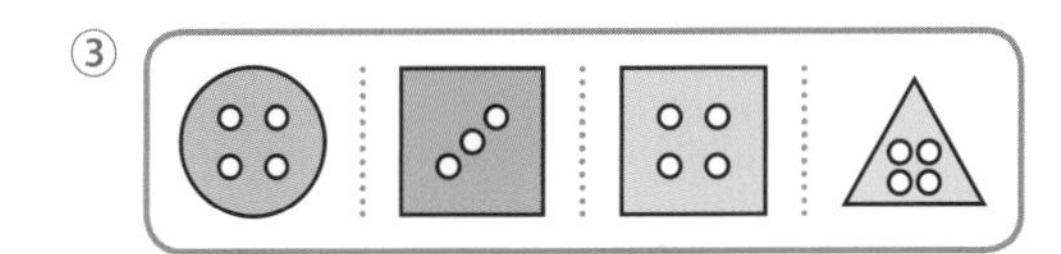

나머지 단추와 ( 모양이 , 색깔이 , 구멍 수가 ) 다릅니다.

## 5일 모두 다릅니다

3개 모두 다른 속성을 찾아 ×표 하세요.

| 세모 | 네모 | 동그라미 | ➡ 모양이 모두 달라요. |
|---|---|---|---|
| 주황색 | 초록색 | 보라색 | ➡ 색깔이 모두 달라요. |
| 구멍 2개 | 구멍 2개 | 구멍 2개 | ➡ 구멍 수가 모두 같아요. |

①

②

③

④

모양 | 색깔 | 구멍 수

## 빈 곳에 알맞은 단추를 위에서 찾아 번호를 써넣으세요.

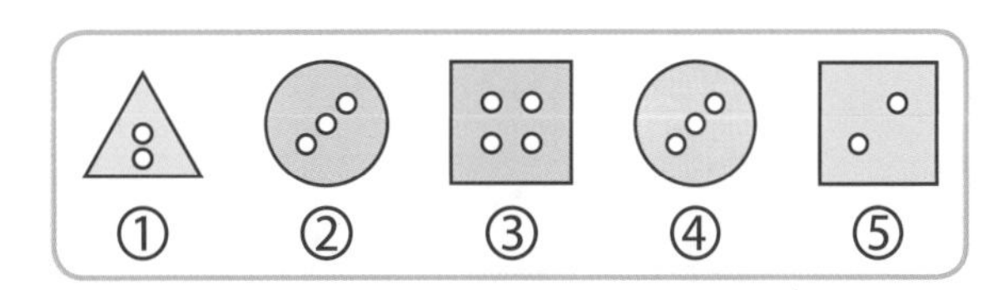


모양이 모두 같고, 색깔이 모두 다르고, 구멍 수가 모두 다릅니다.

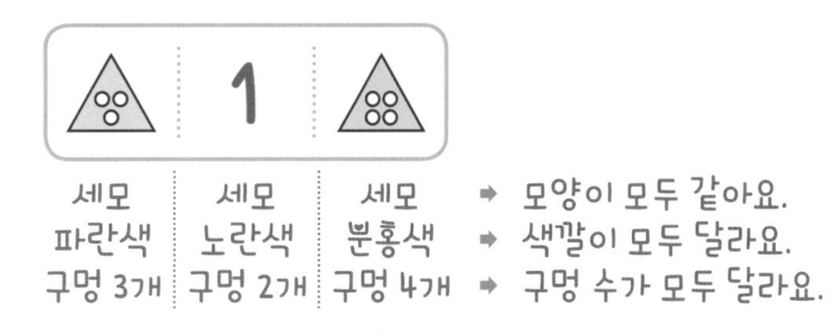


① 모양이 모두 다르고, 색깔이 모두 다르고, 구멍 수가 모두 같습니다.

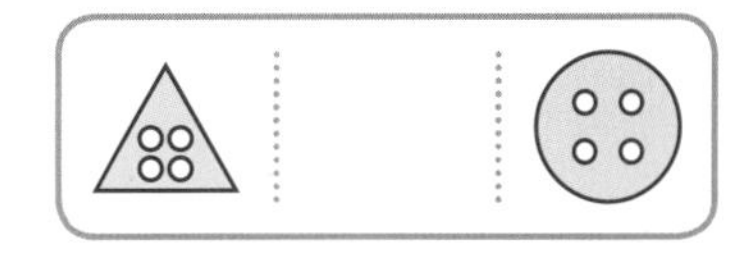

② 모양이 모두 다르고, 색깔이 모두 같고, 구멍 수가 모두 같습니다.

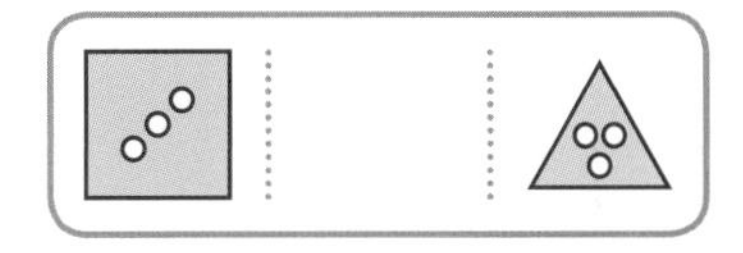

③ 모양이 모두 같고, 색깔이 모두 같고, 구멍 수가 모두 다릅니다.

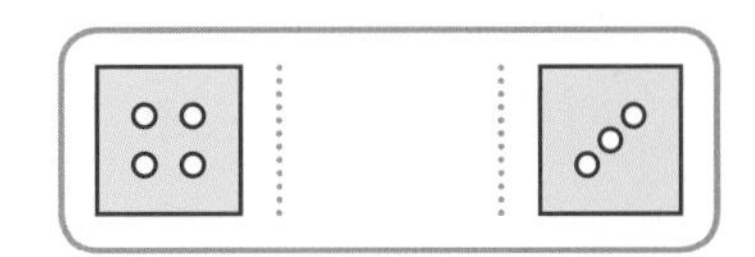

# 확인학습

✎ 두 그림을 보고 알맞은 말에 ○표 하세요.

①

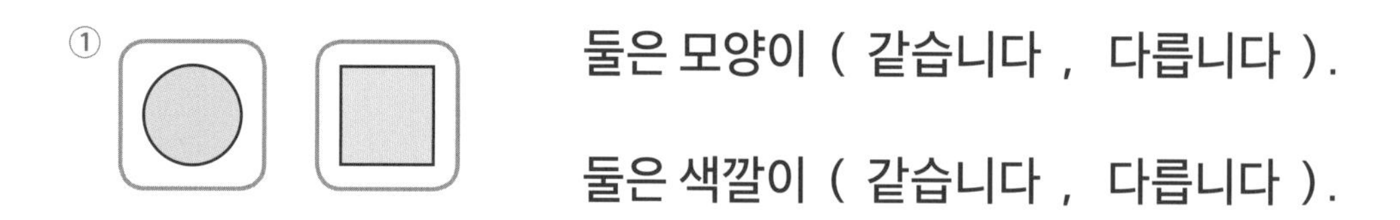

둘은 모양이 ( 같습니다 , 다릅니다 ).

둘은 색깔이 ( 같습니다 , 다릅니다 ).

②

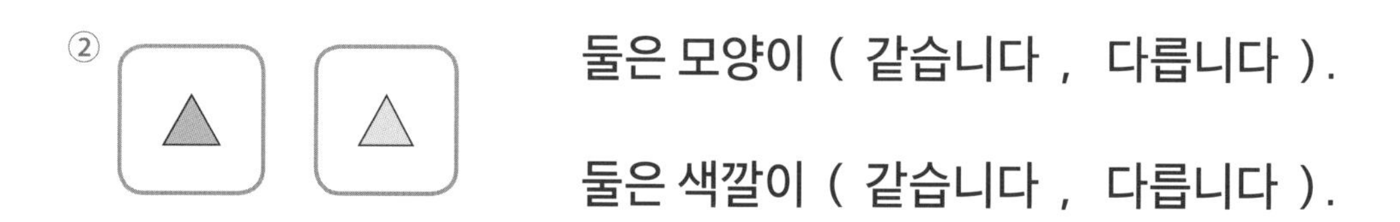

둘은 모양이 ( 같습니다 , 다릅니다 ).

둘은 색깔이 ( 같습니다 , 다릅니다 ).

✎ 두 단추 그림을 보고 알맞게 길을 이어 보세요.

③

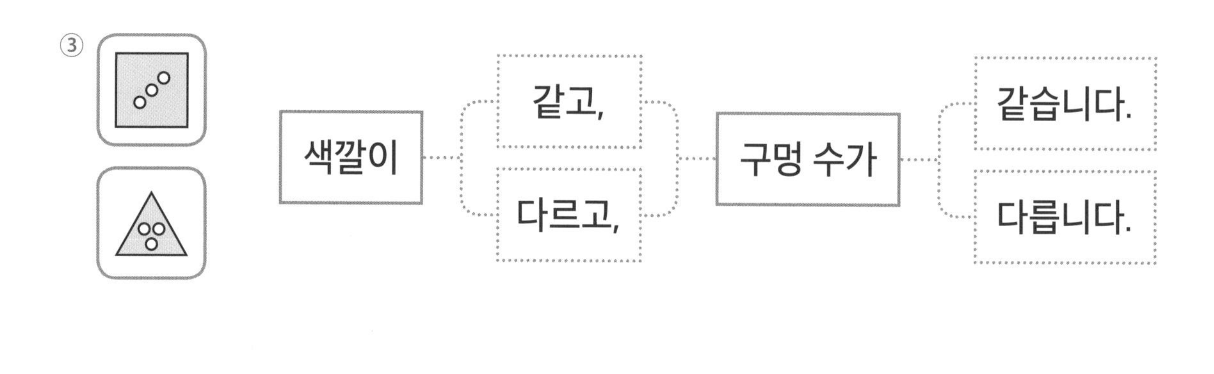
색깔이
같고,
다르고,
구멍 수가
같습니다.
다릅니다.

④

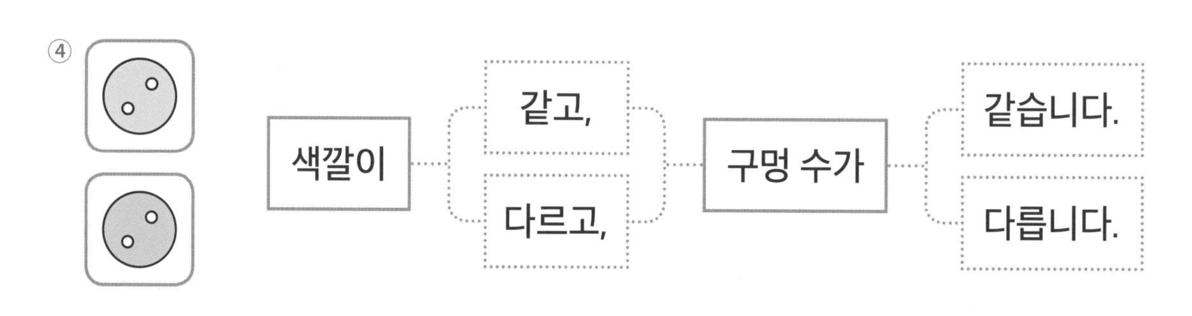
색깔이
같고,
다르고,
구멍 수가
같습니다.
다릅니다.

## 같은 속성에 ○표, 다른 속성에 ×표 하세요.

⑤

⑥

모양 | 색깔 | 구멍 수

## 나머지와 다른 하나에 ×표 하고, 다른 이유를 말해 보세요.

⑦

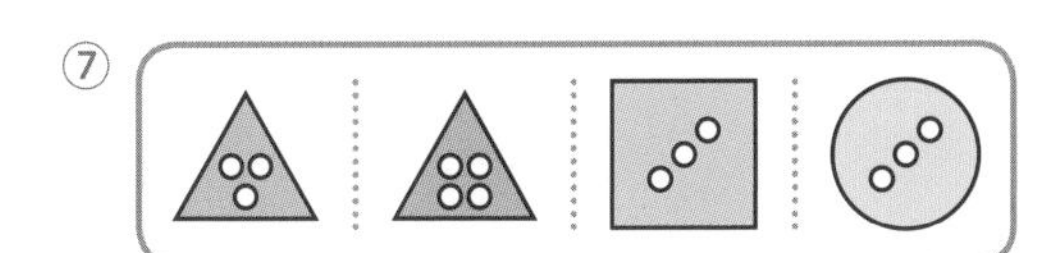

나머지 단추와 ( 모양이 , 색깔이 , 구멍 수가 ) 다릅니다.

⑧

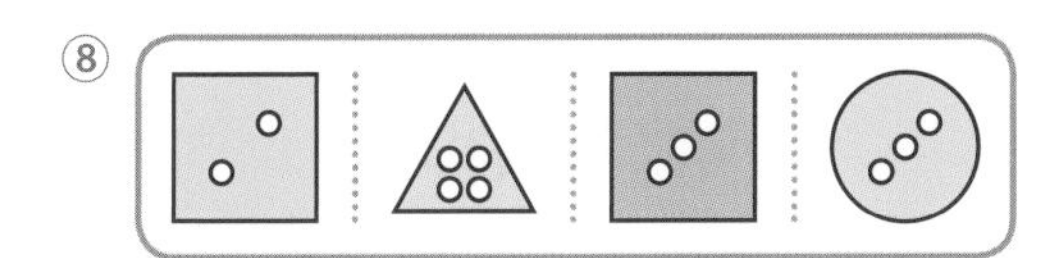

나머지 단추와 ( 모양이 , 색깔이 , 구멍 수가 ) 다릅니다.

# 확인학습

✎ 빈 곳에 알맞은 단추를 위에서 찾아 번호를 써넣으세요.

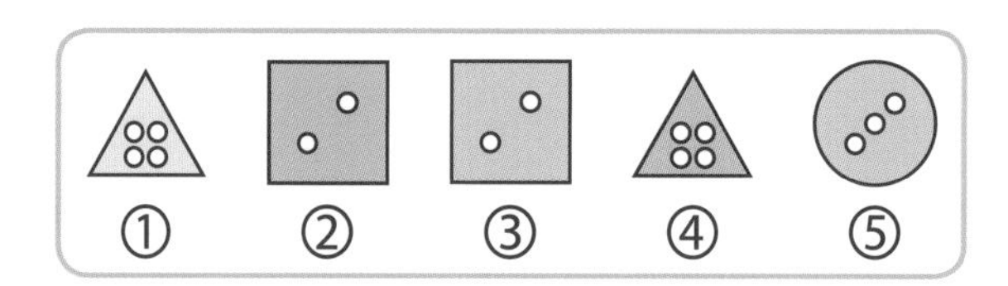


⑨ 모양이 모두 같고, 색깔이 모두 같고, 구멍 수가 모두 같습니다.

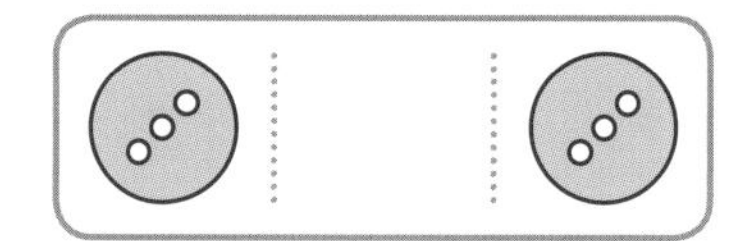

⑩ 모양이 모두 다르고, 색깔이 모두 다르고, 구멍 수가 모두 같습니다.

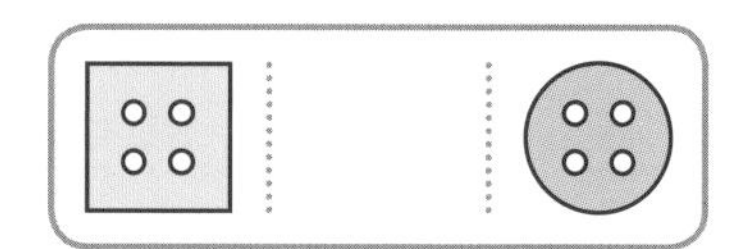

⑪ 모양이 모두 같고, 색깔이 모두 다르고, 구멍 수가 모두 같습니다.

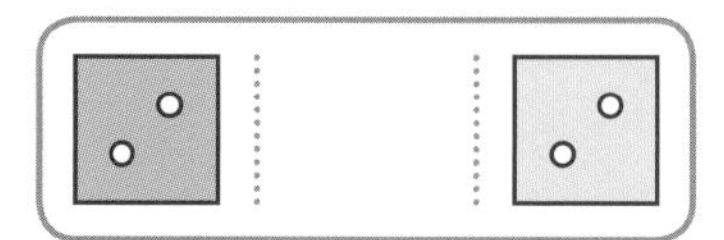

⑫ 모양이 모두 다르고, 색깔이 모두 같고, 구멍 수가 모두 다릅니다.

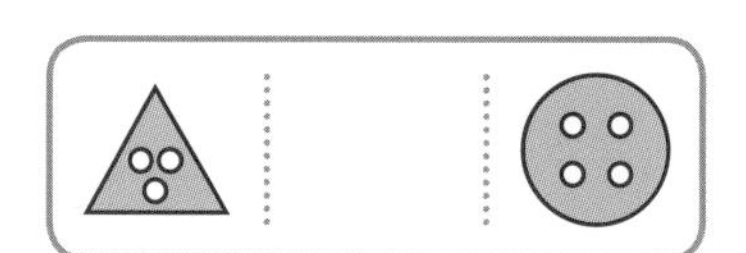

3주차

# 분류하여 세기

# 1일 그리며 세기

하나씩 세면서 ○표 하고, 개수를 써넣으세요.

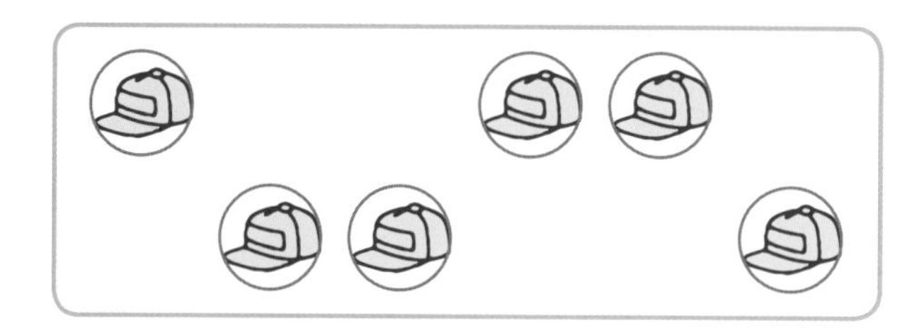

| 모자 | ① ② ③ ④ ⑤ ⑥ ○ ○ ○ | 6 개 |
|---|---|---|

①

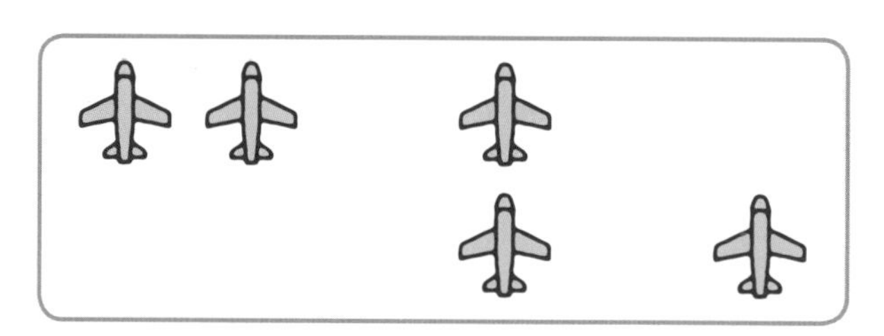

| 비행기 | ○ ○ ○ ○ ○ ○ ○ ○ ○ | 대 |
|---|---|---|

②

| 원숭이 | ○ ○ ○ ○ ○ ○ ○ ○ ○ | 마리 |
|---|---|---|

③

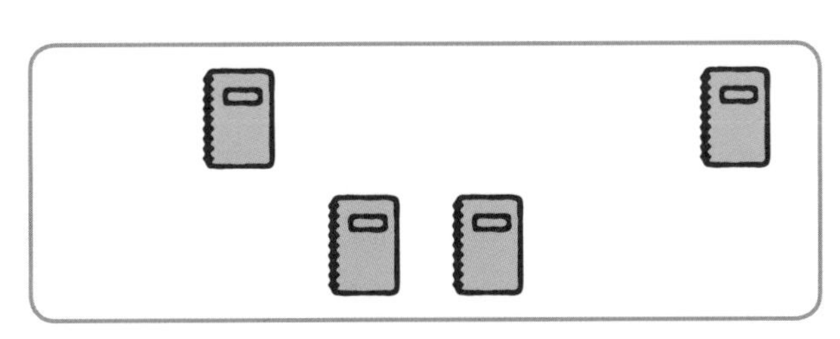

| 공책 | ○○○○○○○○○ | 권 |
|---|---|---|

④

| 셔츠 | ○○○○○○○○○ | 벌 |
|---|---|---|

⑤

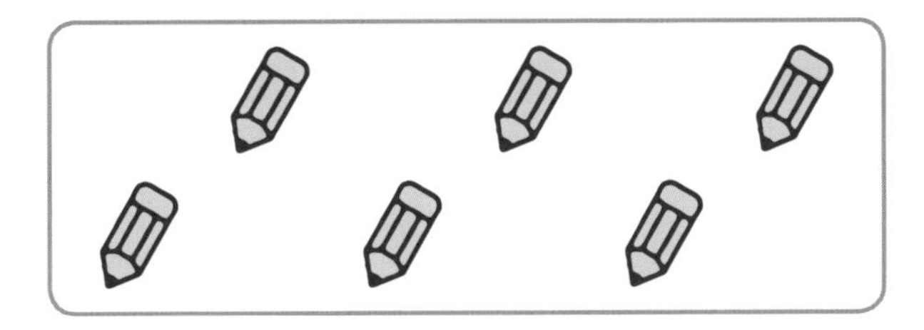

| 연필 | ○○○○○○○○○ | 자루 |
|---|---|---|

# 2일 모양에 따라 분류

모양에 따라 구분하여 위 또는 아래로 이어 보세요.

①

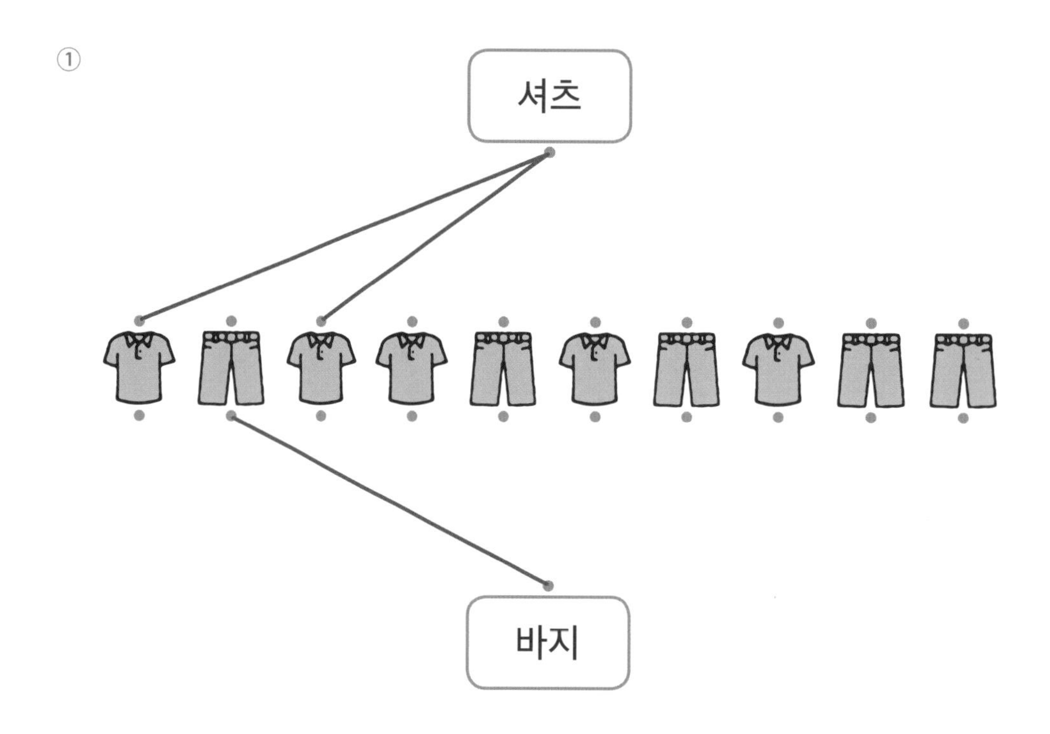


②

연필

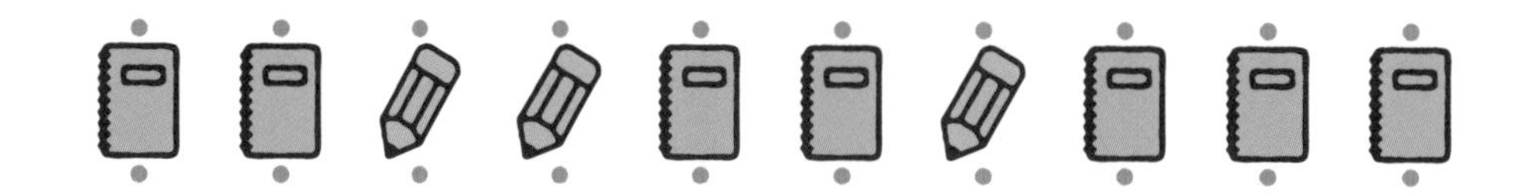

공책

분류하여 셀 때 한 종류를 먼저 세고, 나머지를 세는 것이 좋아.

모양별로 하나씩 세면서 ○표 하고, 개수를 써넣으세요.

| 버스 | ① ② ③ ④ ○ ○ ○ ○ ○ | 4 대 |
|---|---|---|
| 자전거 | ① ② ③ ④ ⑤ ⑥ ⑦ ⑧ ○ | 8 대 |

①

| 별사탕 | ○ ○ ○ ○ ○ ○ ○ ○ ○ | 개 |
|---|---|---|
| 솜사탕 | ○ ○ ○ ○ ○ ○ ○ ○ ○ | 개 |

②

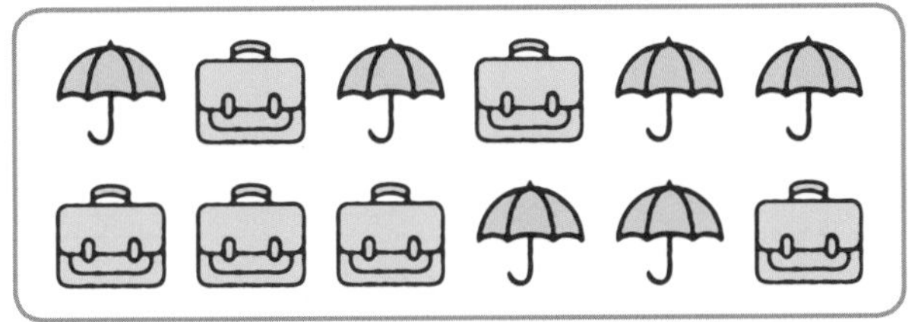

| 가방 | ○ ○ ○ ○ ○ ○ ○ ○ ○ | 개 |
|---|---|---|
| 우산 | ○ ○ ○ ○ ○ ○ ○ ○ ○ | 개 |

# 3일 속성에 따라 분류

여러 가지 속성을 가진 단추가 있습니다. 물음에 답하세요.

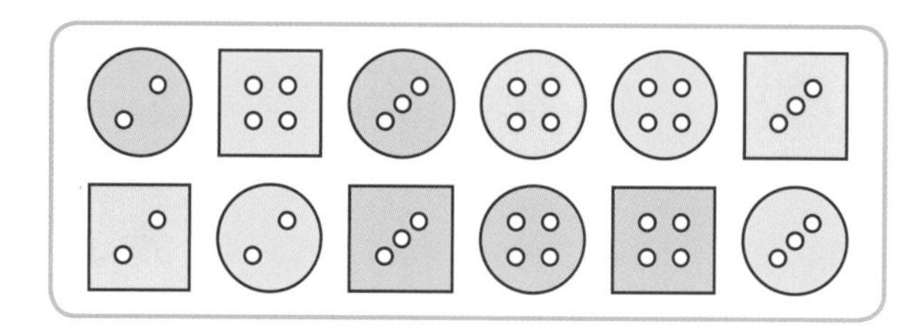

모양별로 세어 ○표 하세요.

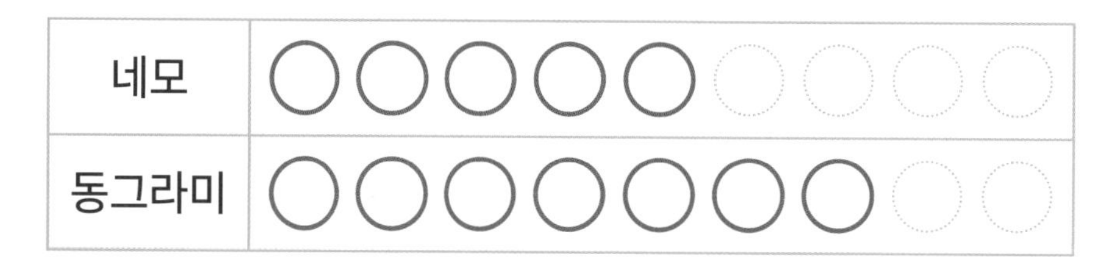

| 네모 | |
|---|---|
| 동그라미 | |

① 동그라미 모양 단추는 몇 개입니까? ______ 개

② 네모 모양 단추는 몇 개입니까? ______ 개

③ 색깔별로 세어 ○표 하세요.

| 노란색 | |
|---|---|
| 분홍색 | |
| 초록색 | |

나누는 기준에 따라
여러 가지 방법으로
분류할 수 있어.


④ 분홍색 단추는 몇 개입니까? ________ 개

⑤ 초록색 단추는 몇 개입니까? ________ 개

⑥ 구멍 수별로 세어 ○표 하세요.

| 구멍 2개 | ○ ○ ○ ○ ○ ○ ○ ○ ○ |
| --- | --- |
| 구멍 3개 | ○ ○ ○ ○ ○ ○ ○ ○ ○ |
| 구멍 4개 | ○ ○ ○ ○ ○ ○ ○ ○ ○ |

⑦ 구멍이 4개인 단추는 몇 개입니까? ________ 개

⑧ 구멍이 3개인 단추는 몇 개입니까? ________ 개

⑨ 구멍이 2개인 단추는 몇 개입니까? ________ 개

4일 **분류하여 개수 비교**

모양별로 세어 ○표 하고, 물음에 답하세요.

①

| 돼지 | ○ ○ ○ ○ ○ ○ ○ ○ ○ |
|---|---|
| 토끼 | ○ ○ ○ ○ ○ ○ ○ ○ ○ |

② 둘 중 더 많은 것은 무엇입니까? ( 돼지 , 토끼 )

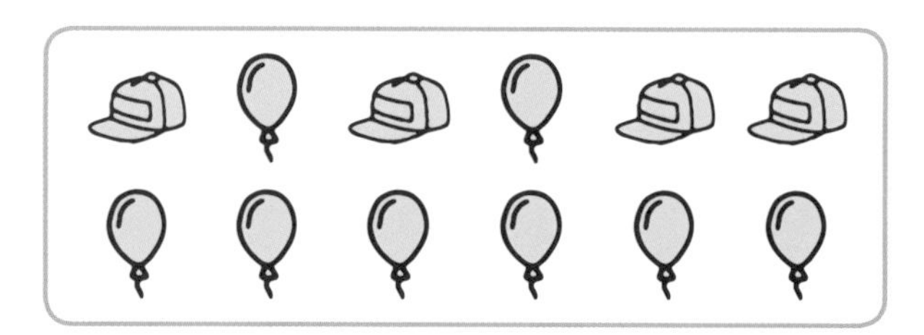

③

| 모자 | ○ ○ ○ ○ ○ ○ ○ ○ ○ |
|---|---|
| 풍선 | ○ ○ ○ ○ ○ ○ ○ ○ ○ |

④ 둘 중 더 적은 것은 무엇입니까? ( 모자 , 풍선 )

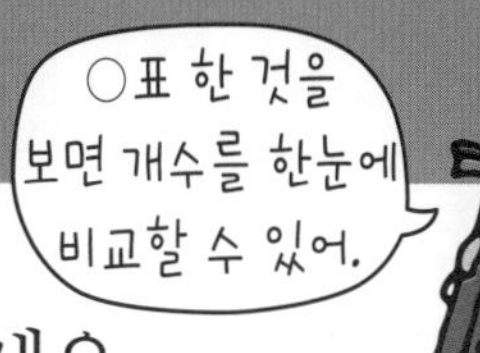

○표 한 것을
보면 개수를 한눈에
비교할 수 있어.


## 단추를 색깔별로 세어 ○표 하고, 물음에 답하세요.

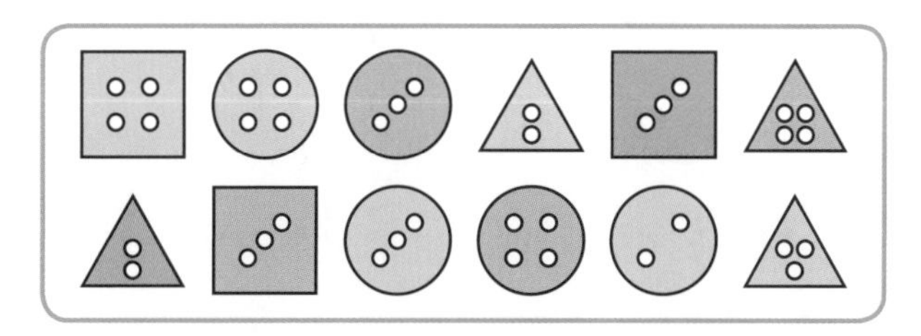

①

| 보라색 | ○ ○ ○ ○ ○ ○ ○ ○ ○ |
|---|---|
| 주황색 | ○ ○ ○ ○ ○ ○ ○ ○ ○ |
| 파란색 | ○ ○ ○ ○ ○ ○ ○ ○ ○ |

② 색깔별 개수를 빈 곳에 써넣으세요.

| 보라색 | 주황색 | 파란색 |
|---|---|---|
| 개 | 개 | 개 |

③ 가장 많은 것은 무슨 색 단추입니까? ( 보라색 , 주황색 , 파란색 )

④ 가장 적은 것은 무슨 색 단추입니까? ( 보라색 , 주황색 , 파란색 )

# 5일 속성 분류 문장제

식을 쓰고 답을 구하세요.

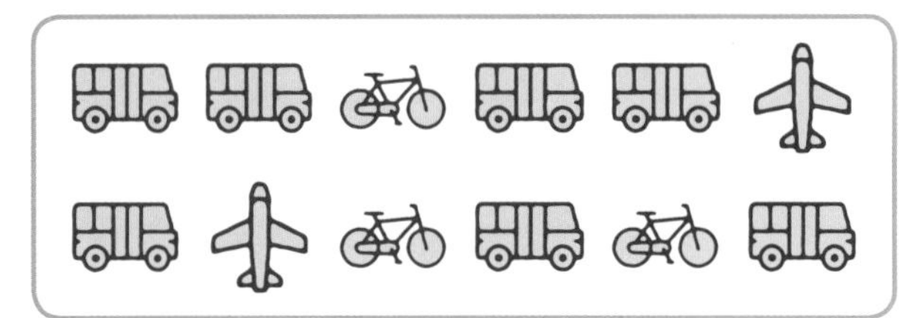

자전거와 비행기는 모두 몇 대입니까?

식 : 3 + 2 = 5 답 : 5 대

| 자전거 | 비행기 |
| --- | --- |
| 3대 | 2대 |

① 버스와 비행기는 모두 몇 대입니까?

식 : □ + □ = □ 답 : ______ 대

② 버스는 자전거보다 몇 대 더 많습니까?

식 : □ − □ = □ 답 : ______ 대

③ 자전거는 비행기보다 몇 대 더 많습니까?

식 : □ − □ = □ 답 : ______ 대

❀ 다음 물음에 답하세요.

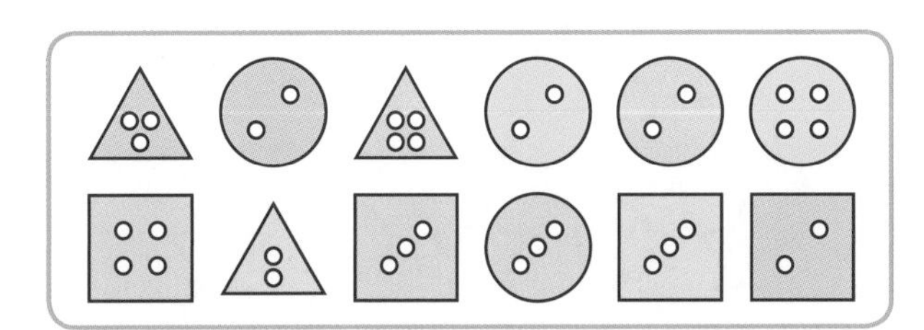

파란색이 아닌 단추는 몇 개입니까? 7 개

(파란색이 아닌 단추) = (노란색 단추) + (분홍색 단추) = 4 + 3 = 7

① 네모 모양이 아닌 단추는 몇 개입니까? ______ 개

② 노란색이면서 구멍이 2개인 단추는 몇 개입니까? ______ 개

③ 네모 모양이면서 분홍색이 아닌 단추는 몇 개입니까? ______ 개

④ 구멍이 2개이면서 세모 모양이 아닌 단추는 몇 개입니까? ______ 개

# 확인학습

✎ 모양별로 세어 ○표 하고, 물음에 답하세요.

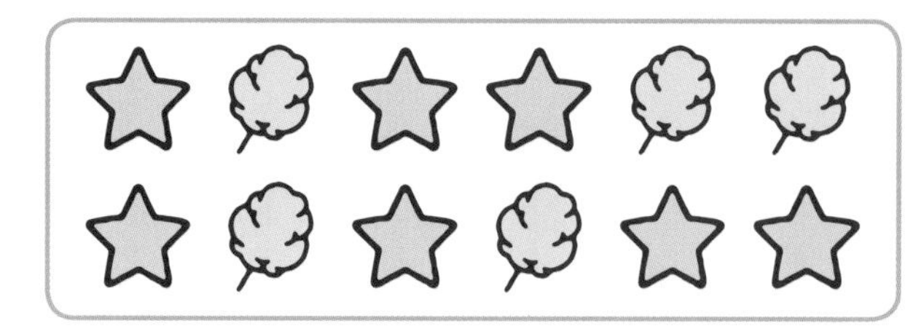

①

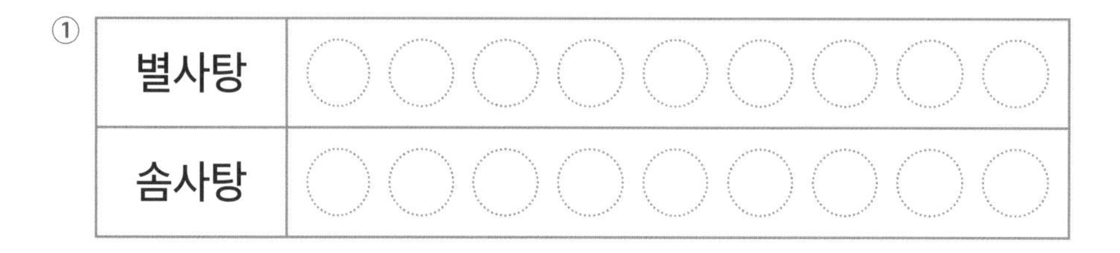

| 별사탕 | ○○○○○○○○○ |
|---|---|
| 솜사탕 | ○○○○○○○○○ |

② 둘 중 더 적은 것은 무엇입니까? ( 별사탕 , 솜사탕 )

✎ 구멍 수별 단추의 수를 빈 곳에 써넣고, 물음에 답하세요.

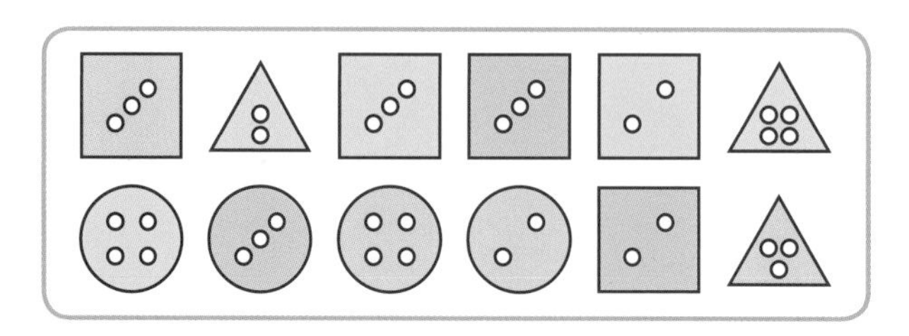

③

| 구멍 2개 | 구멍 3개 | 구멍 4개 |
|---|---|---|
| 개 | 개 | 개 |

④ 가장 많은 것은 구멍이 몇 개인 단추입니까? ( 2개 , 3개 , 4개 )

식을 쓰고 답을 구하세요.

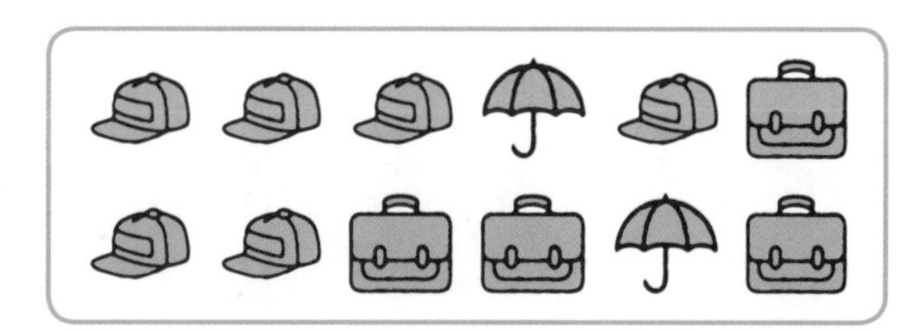

⑤ 모자와 우산은 모두 몇 개입니까?

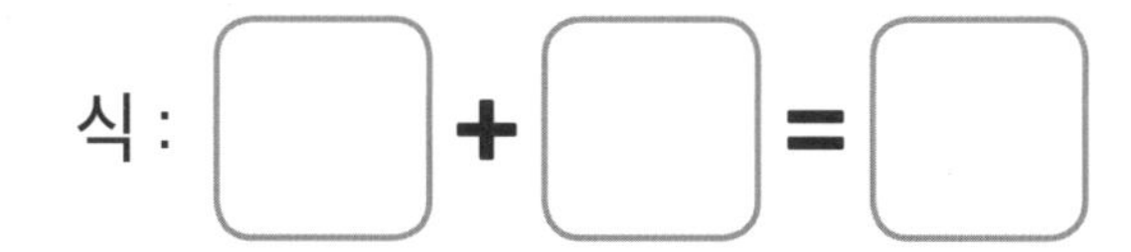

식 : □ + □ = □ 답 : ______ 개

⑥ 가방과 우산은 모두 몇 개입니까?

식 : □ + □ = □ 답 : ______ 개

⑦ 모자는 우산보다 몇 개 더 많습니까?

식 : □ − □ = □ 답 : ______ 개

⑧ 모자는 가방보다 몇 개 더 많습니까?

식 : □ − □ = □ 답 : ______ 개

# 확인학습

다음 물음에 답하세요.

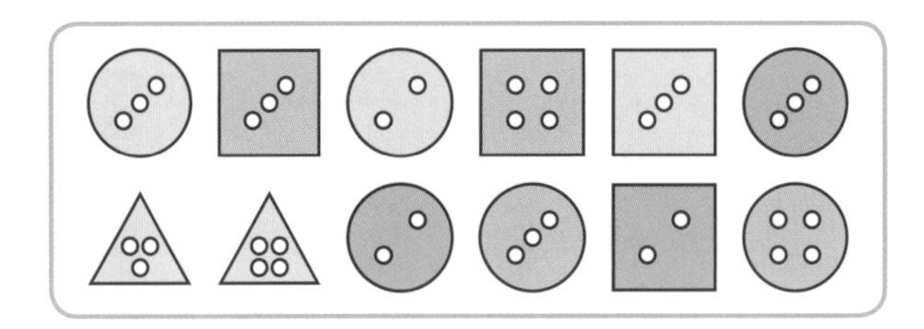

⑨ 동그라미 모양이 아닌 단추는 몇 개입니까? ________ 개

⑩ 구멍이 2개가 아닌 단추는 몇 개입니까? ________ 개

⑪ 초록색이면서 구멍이 3개인 단추는 몇 개입니까? ________ 개

⑫ 구멍이 3개이면서 보라색이 아닌 단추는 몇 개입니까? ________ 개

⑬ 네모 모양이면서 구멍이 3개가 아닌 단추는 몇 개입니까? ________ 개

4주차

# 속성 추리

# 1일 속성 매트릭스

빈 곳에 알맞은 그림의 번호를 써넣으세요.

| | 노란색 | 분홍색 |
|---|---|---|
| 토끼 | 1 | 3 |
| 원숭이 | 2 | 5 |

| 노란색 토끼 | 노란색 원숭이 | 분홍색 토끼 | | 분홍색 원숭이 |
|---|---|---|---|---|
| ① | ② | ③ | ④ | ⑤ |

①

| | 큰 | 작은 |
|---|---|---|
| 연필 | | |
| 지우개 | | |

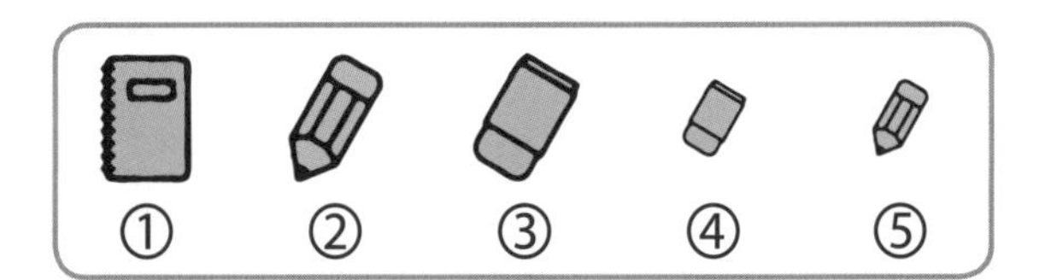

②

| | 솜사탕 | 별사탕 |
|---|---|---|
| 초록색 | | |
| 보라색 | | |

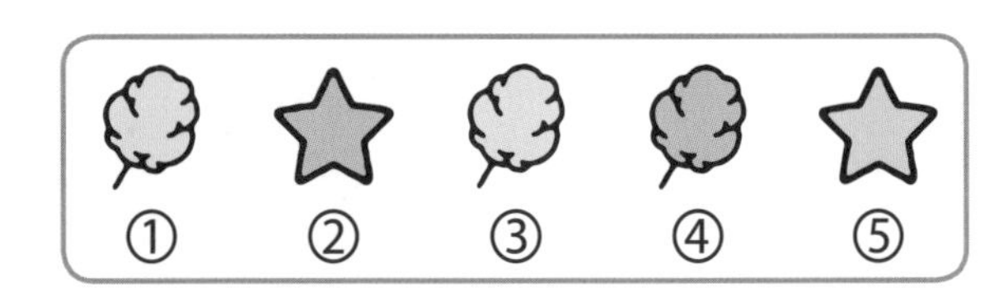

## 빈 곳에 알맞은 그림을 말해 보세요.

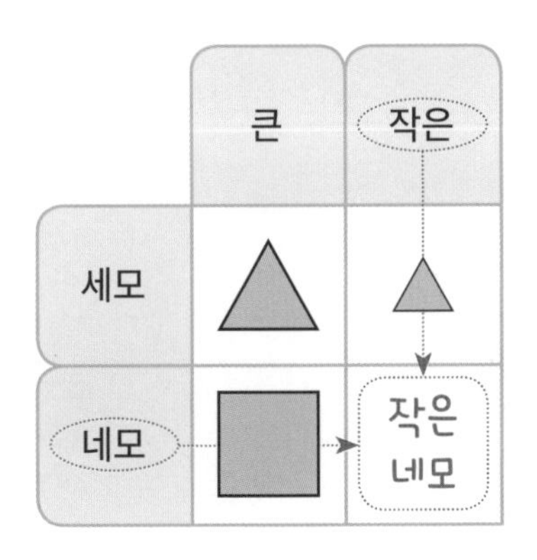


( 큰 , 작은 ) ( 세모 , 네모 )

①

| | 파란색 | 노란색 |
|---|---|---|
| 네모 | | |
| 동그라미 | | |

( 파란색 , 노란색 ) ( 네모 , 동그라미 )

②

| | 큰 | 작은 |
|---|---|---|
| 동그라미 | | |
| 세모 | | |

( 큰 , 작은 ) ( 동그라미 , 세모 )

# 2일 매트릭스 추리

빈 곳에 알맞은 속성의 번호를 써넣으세요.

| 작은 | 셔츠 | 큰 | 바지 | 모자 |
|---|---|---|---|---|
| ① | ② | ③ | ④ | ⑤ |

①

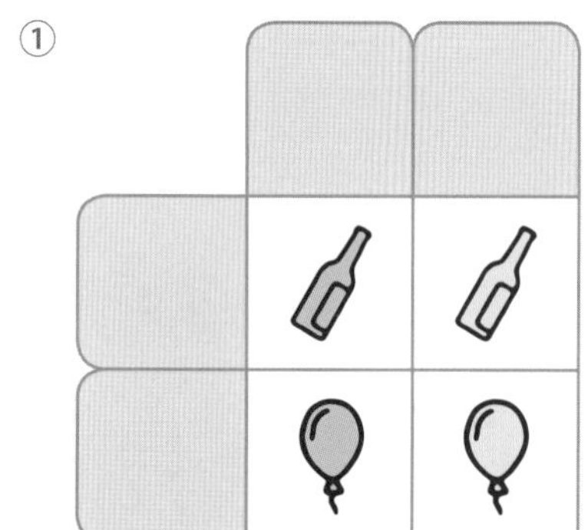

| 주황색 | 풍선 | 초록색 | 보라색 | 유리병 |
|---|---|---|---|---|
| ① | ② | ③ | ④ | ⑤ |

②

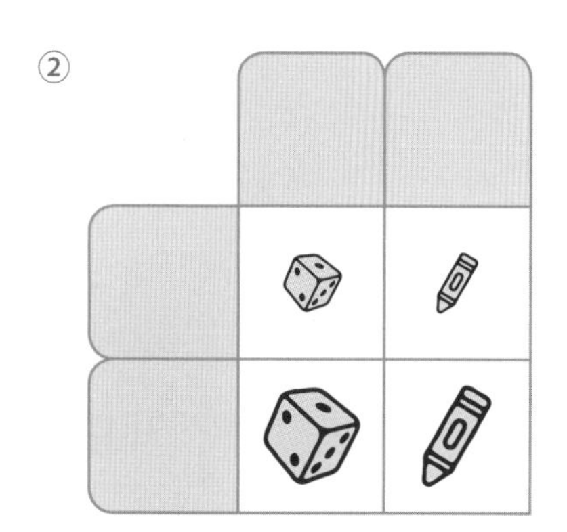

| 큰 | 주사위 | 공책 | 크레파스 | 작은 |
|---|---|---|---|---|
| ① | ② | ③ | ④ | ⑤ |

가로줄과 세로줄
그림에서 각각 같은
속성을 찾아봐.


## 빈 곳에 알맞은 그림을 말해 보세요.

| | 동그라미 | 네모 |
|---|---|---|
| 노란색 | | 노란색 네모 |
| 보라색 | | |

( 노란색 , 보라색 , 초록색 )

( 세모 , 네모 , 동그라미 )

①

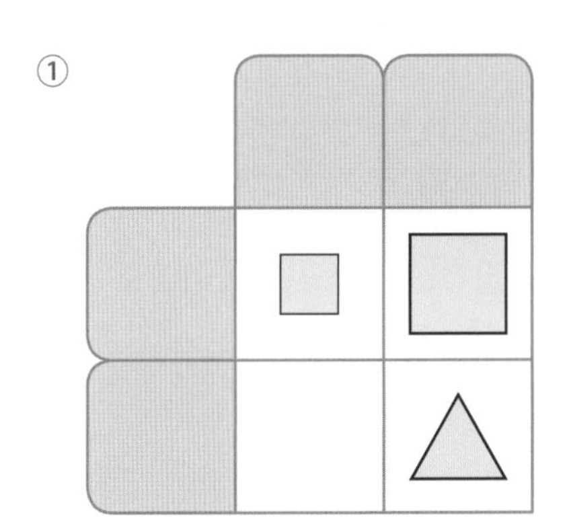

( 큰 , 작은 )

( 세모 , 네모 , 동그라미 )

②

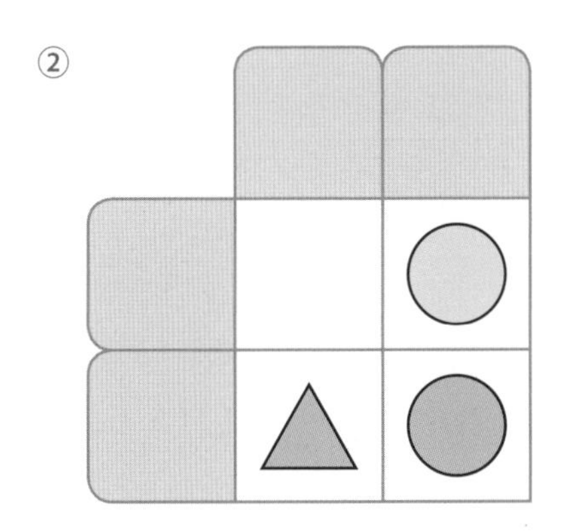

( 노란색 , 주황색 , 파란색 )

( 세모 , 네모 , 동그라미 )

# 3일 무엇이 달라집니다

화살표 방향으로 무엇이 달라지는지 말해 보세요.

( 모양이 , 크기가 , 색깔이 ) 달라집니다.

①

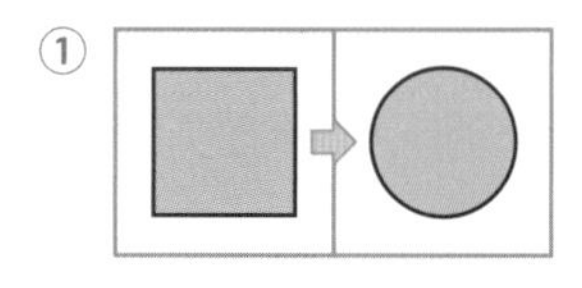

( 모양이 , 크기가 , 색깔이 ) 달라집니다.

②

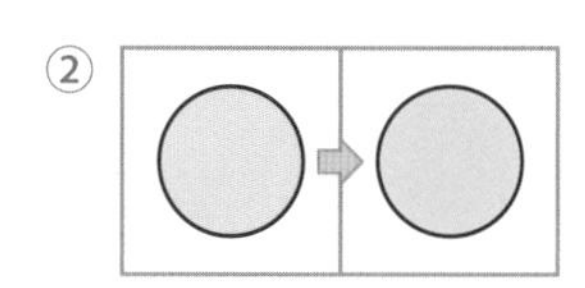

( 모양이 , 크기가 , 색깔이 ) 달라집니다.

③

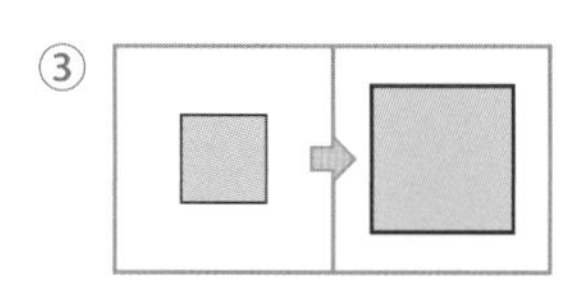

( 모양이 , 크기가 , 색깔이 ) 달라집니다.

④

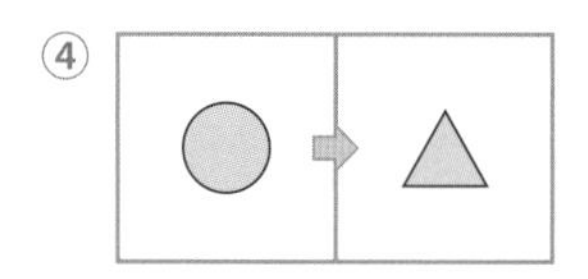

( 모양이 , 크기가 , 색깔이 ) 달라집니다.

달라지는 속성이 같은 것끼리 이어 보세요.

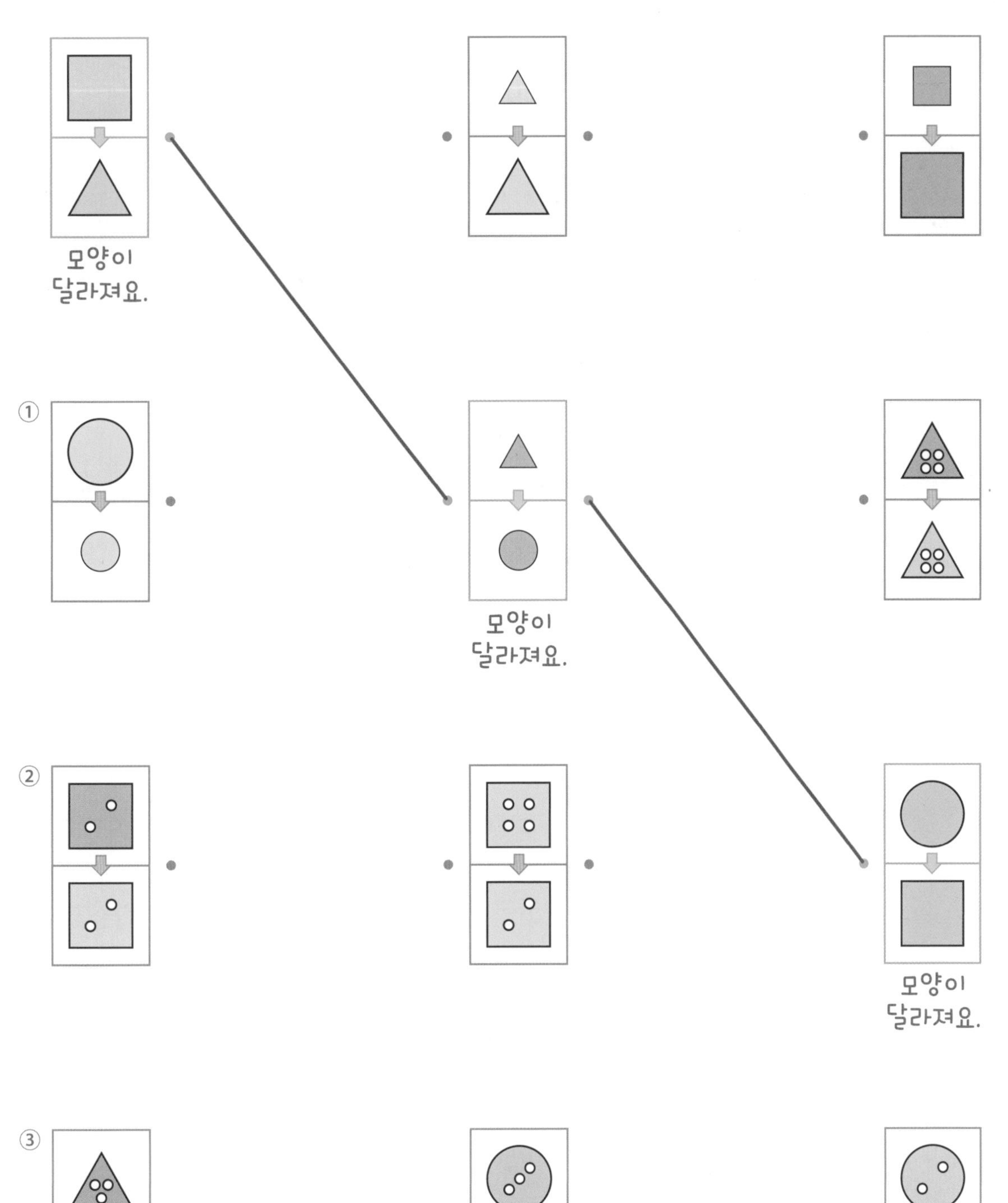

# 4일 어떻게 달라집니다

화살표 방향으로 어떻게 달라지는지 말해 보세요.

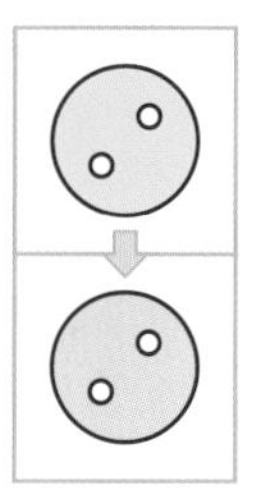

구멍 2개
노란색
동그라미

구멍 2개
파란색
동그라미

색깔이 ( 노란색 , 분홍색 , 파란색 ) 에서
( 노란색 , 분홍색 , 파란색 ) 으로 달라집니다.

①

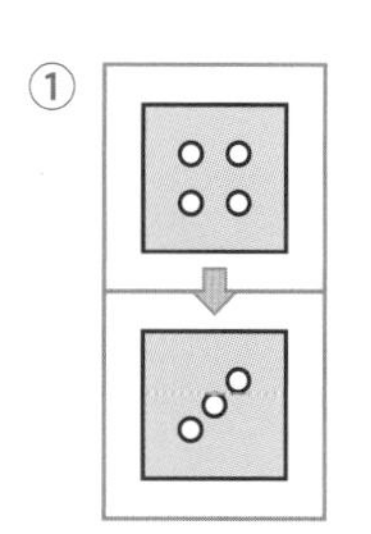

구멍 수가 ( 2개 , 3개 , 4개 ) 에서
( 2개 , 3개 , 4개 ) 로 달라집니다.

②

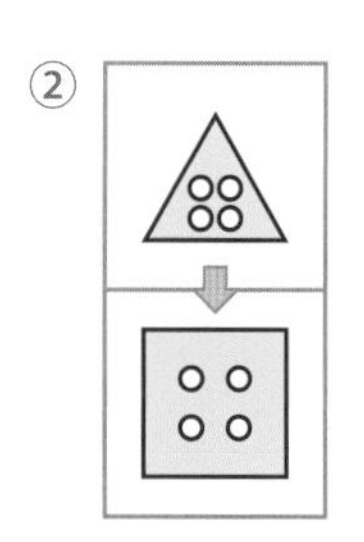

모양이 ( 세모 , 네모 , 동그라미 ) 에서
( 세모 , 네모 , 동그라미 ) 로 달라집니다.

③

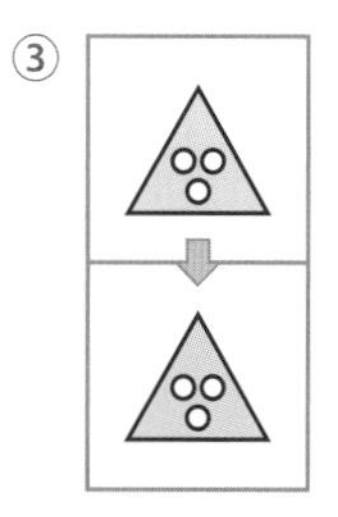

색깔이 ( 노란색 , 분홍색 , 파란색 ) 에서
( 노란색 , 분홍색 , 파란색 ) 으로 달라집니다.

한 속성이 달라질
때 나머지 속성은
달라지지 않아.

## 빈 곳에 알맞은 그림을 오른쪽에서 골라 ○표 하세요.

화살표 방향으로 모양이 동그라미에서 네모로 달라집니다.

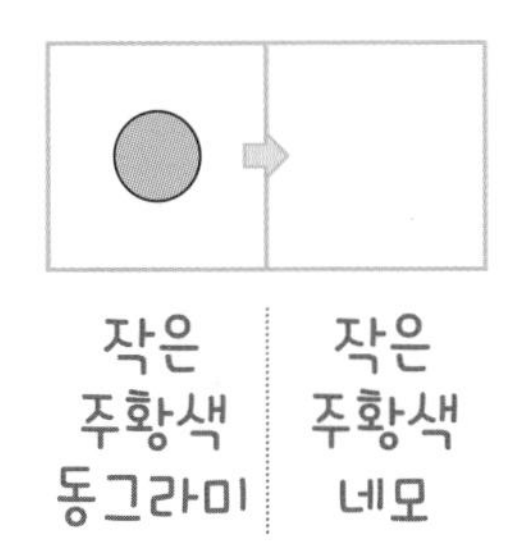
작은
주황색
동그라미
작은
주황색
네모

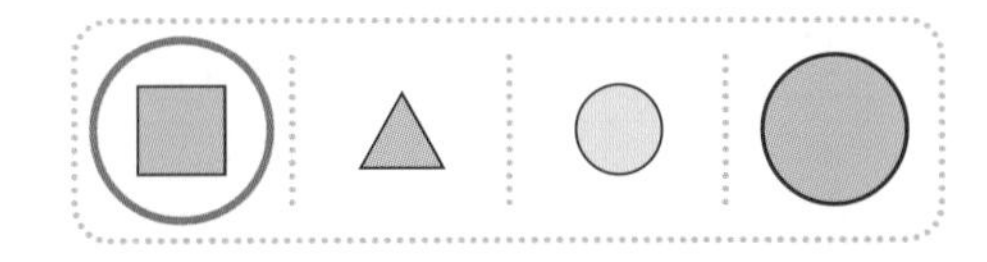

① 화살표 방향으로 크기가 작은 것에서 큰 것으로 달라집니다.

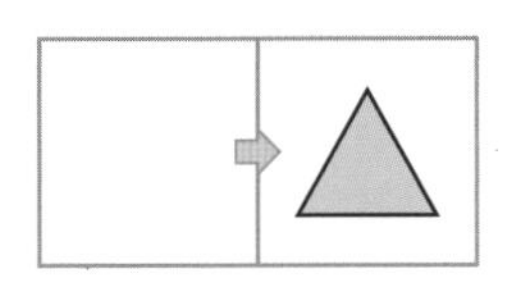

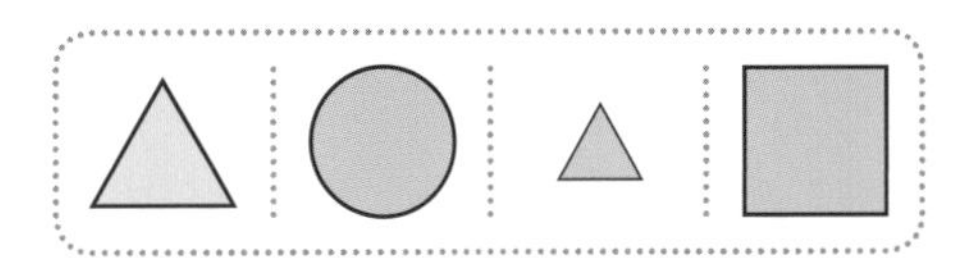

② 화살표 방향으로 색깔이 초록색에서 주황색으로 달라집니다.

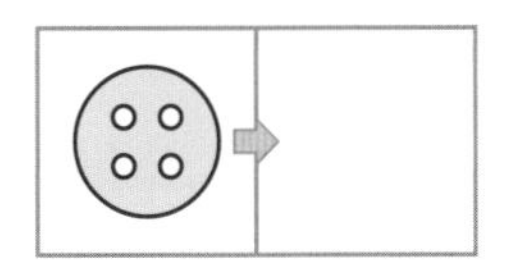

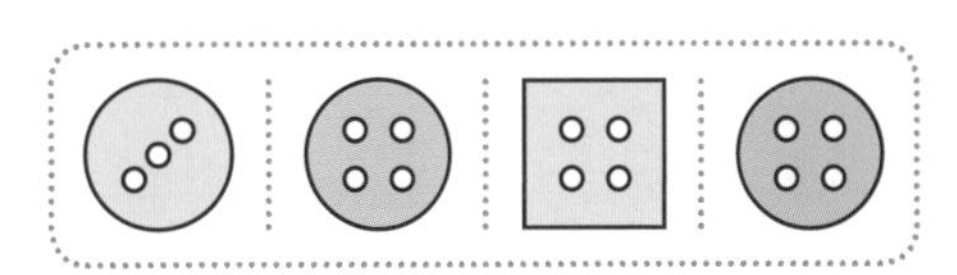

③ 화살표 방향으로 구멍 수가 2개에서 3개로 달라집니다.

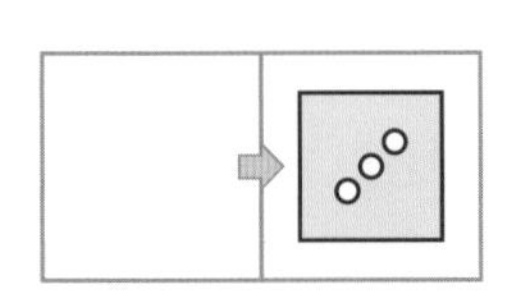

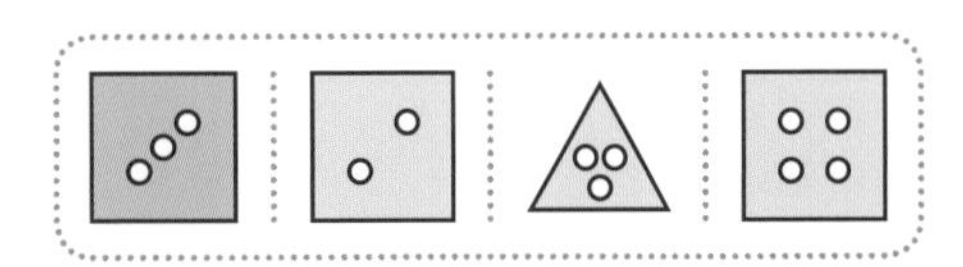

# 5일 알맞은 그림 찾기

가로, 세로 방향으로 각각 무엇이 달라지는지 말해 보세요.

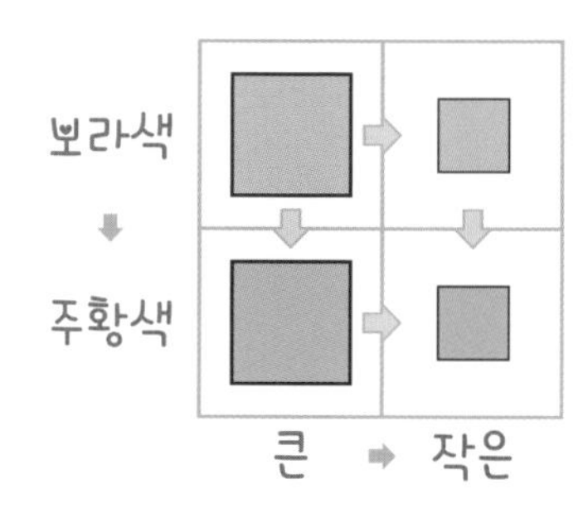


⇨ 방향으로 ( 모양이 , 크기가 , 색깔이 ) 달라집니다.

⇩ 방향으로 ( 모양이 , 크기가 , 색깔이 ) 달라집니다.

①

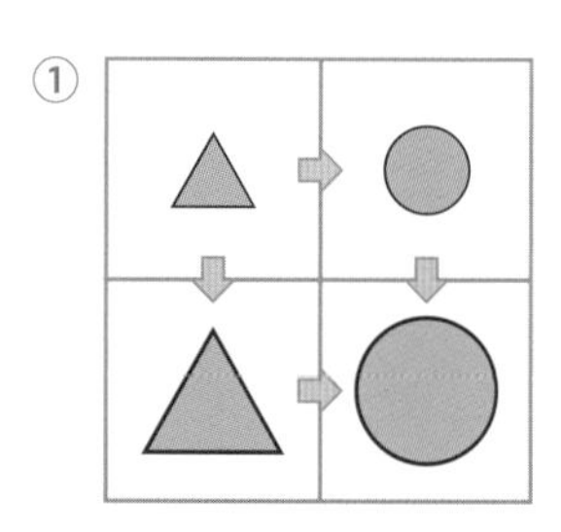

⇨ 방향으로 ( 모양이 , 크기가 , 색깔이 ) 달라집니다.

⇩ 방향으로 ( 모양이 , 크기가 , 색깔이 ) 달라집니다.

②

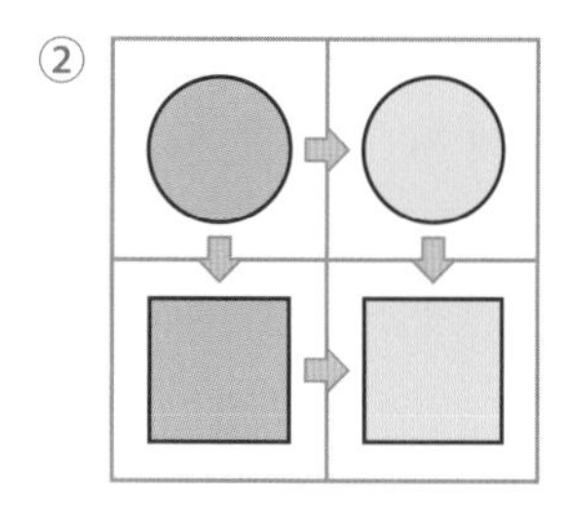

⇨ 방향으로 ( 모양이 , 크기가 , 색깔이 ) 달라집니다.

⇩ 방향으로 ( 모양이 , 크기가 , 색깔이 ) 달라집니다.

③

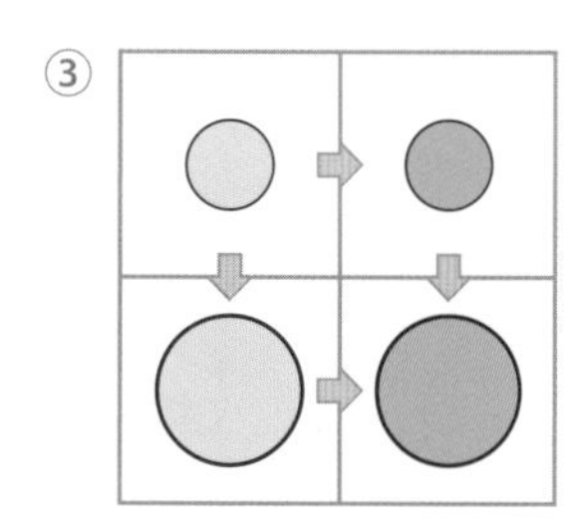

⇨ 방향으로 ( 모양이 , 크기가 , 색깔이 ) 달라집니다.

⇩ 방향으로 ( 모양이 , 크기가 , 색깔이 ) 달라집니다.

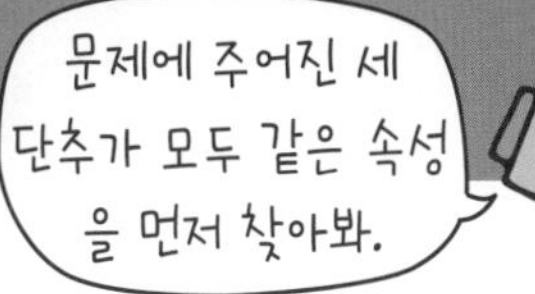

문제에 주어진 세
단추가 모두 같은 속성
을 먼저 찾아봐.

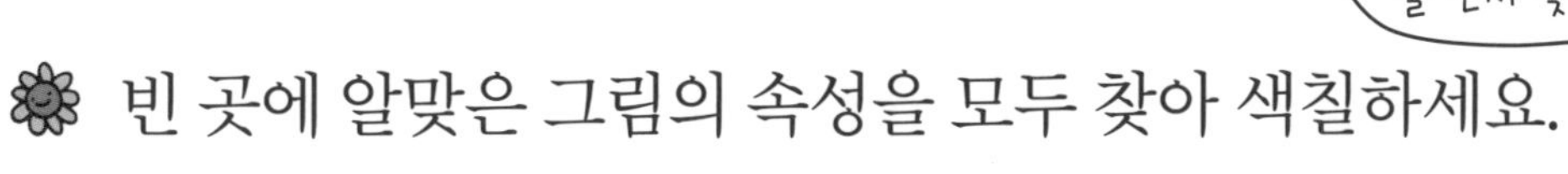

빈 곳에 알맞은 그림의 속성을 모두 찾아 색칠하세요.

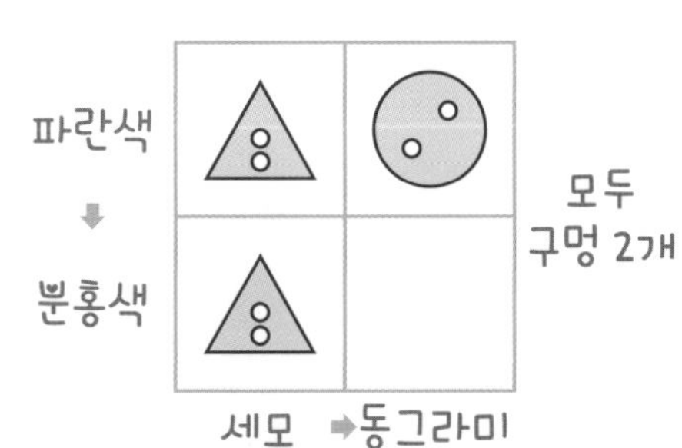

파란색
분홍색
모두
구멍 2개
세모
➡동그라미

| 구멍 2개 | 구멍 3개 | 구멍 4개 |
|---|---|---|
| 노란색 | 분홍색 | 파란색 |
| 세모 | 네모 | 동그라미 |

①

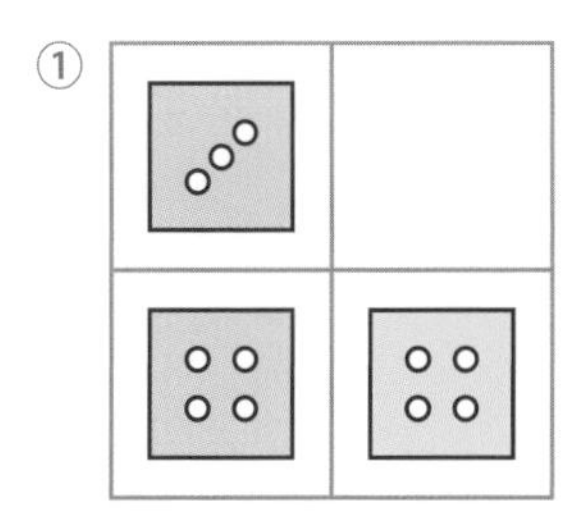

| 구멍 2개 | 구멍 3개 | 구멍 4개 |
|---|---|---|
| 노란색 | 분홍색 | 파란색 |
| 세모 | 네모 | 동그라미 |

②

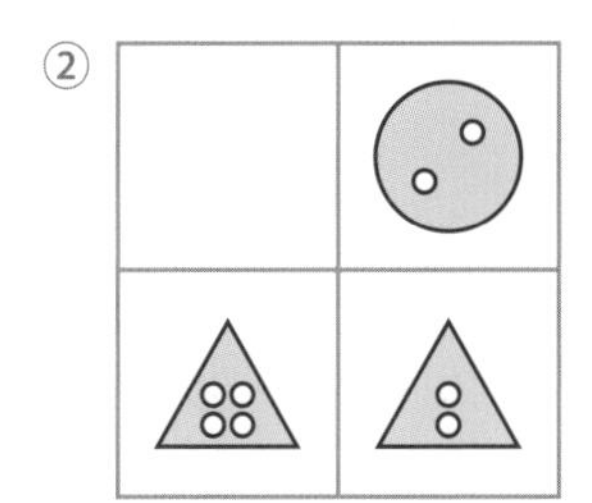

| 구멍 2개 | 구멍 3개 | 구멍 4개 |
|---|---|---|
| 노란색 | 분홍색 | 파란색 |
| 세모 | 네모 | 동그라미 |

③

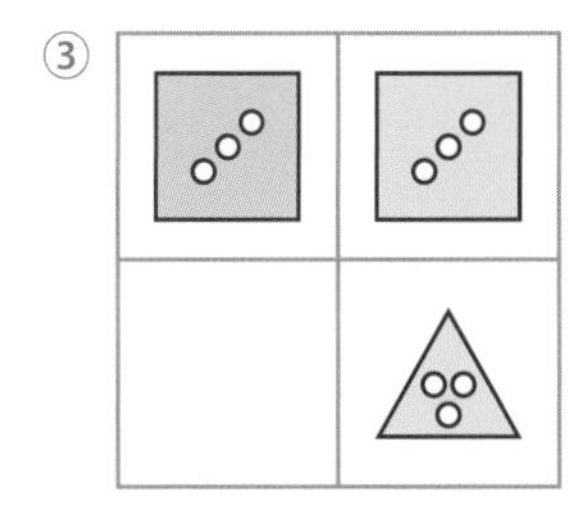

| 구멍 2개 | 구멍 3개 | 구멍 4개 |
|---|---|---|
| 노란색 | 분홍색 | 파란색 |
| 세모 | 네모 | 동그라미 |

# 확인학습

달라지는 속성이 같은 것끼리 이어 보세요.

①

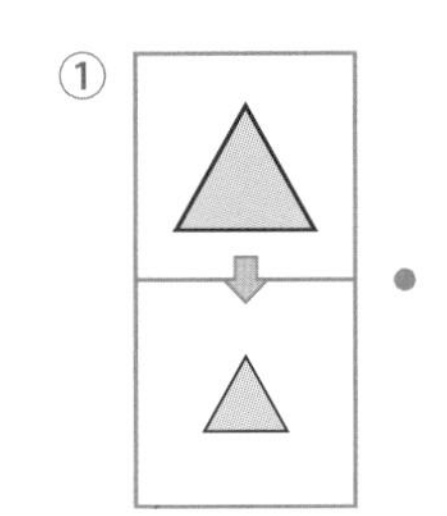

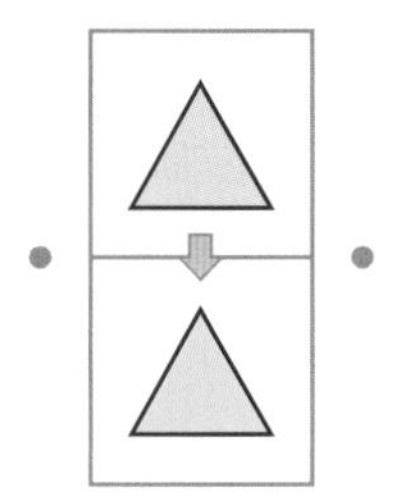

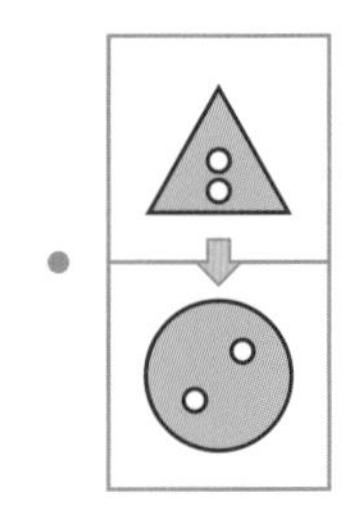

②

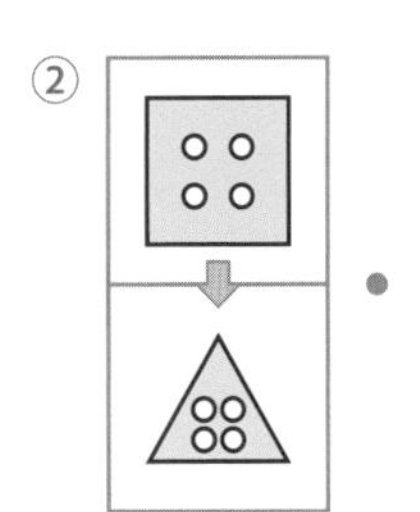

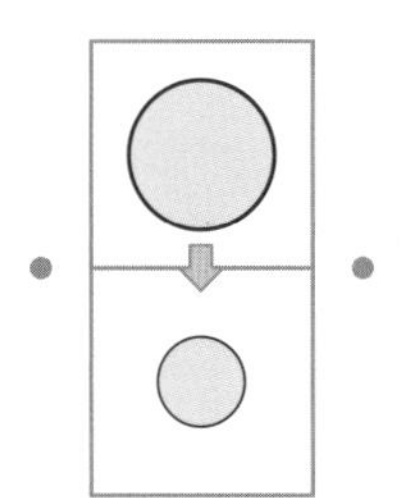

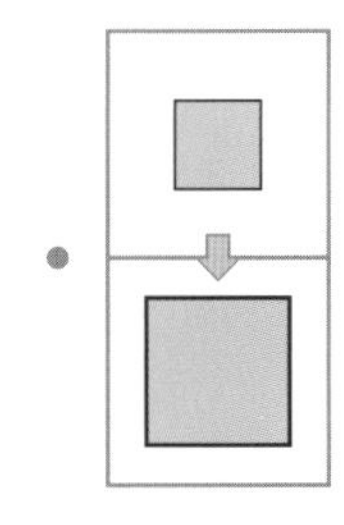

③

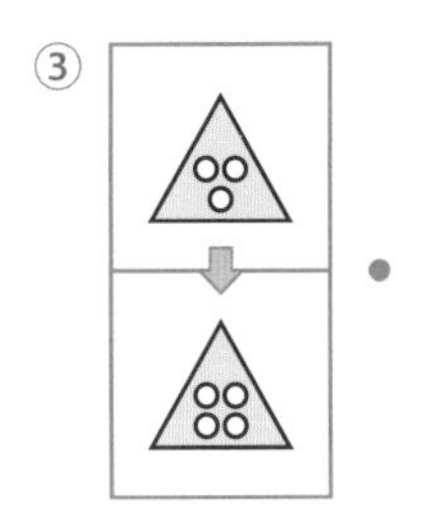

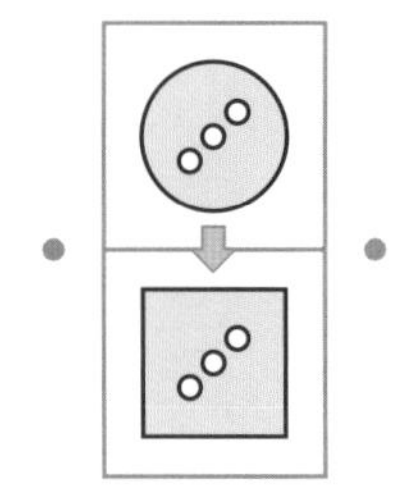

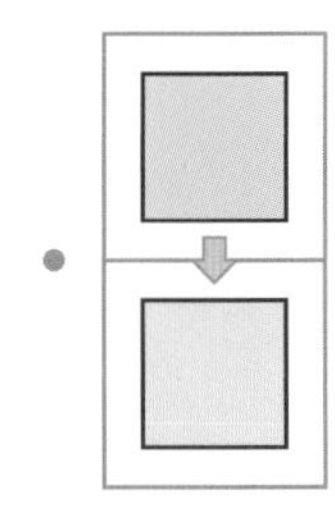

④

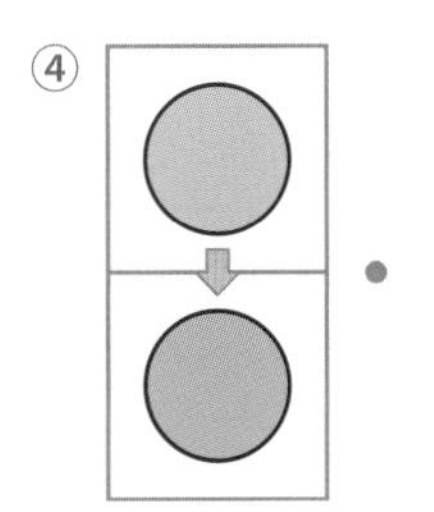

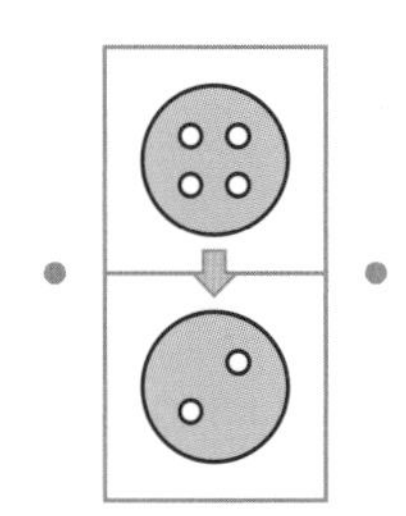

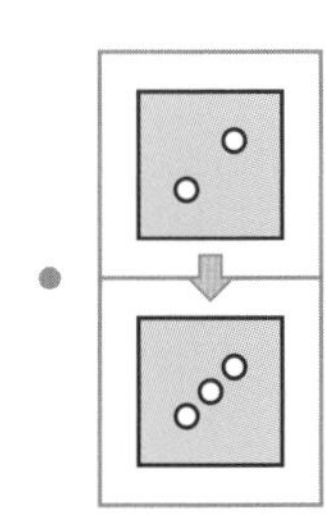

빈 곳에 알맞은 그림을 오른쪽에서 골라 ○표 하세요.

⑤ 화살표 방향으로 크기가 작은 것에서 큰 것으로 달라집니다.

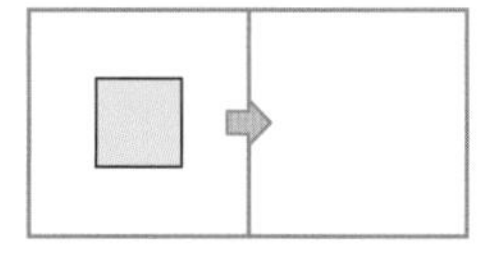

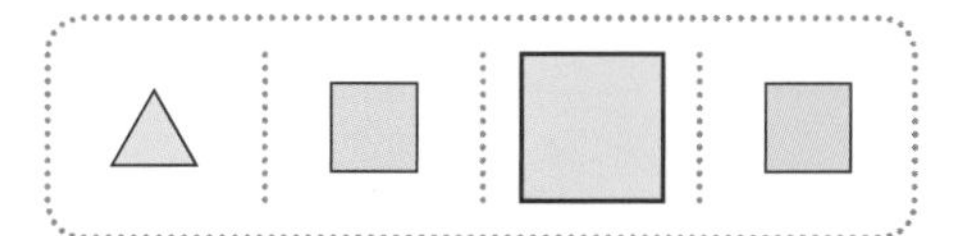

⑥ 화살표 방향으로 색깔이 분홍색에서 파란색으로 달라집니다.

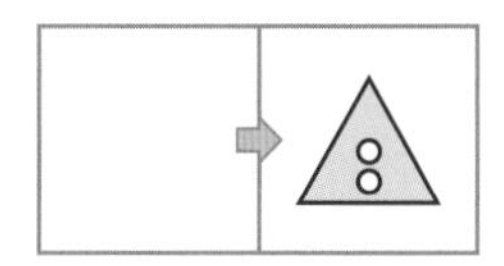

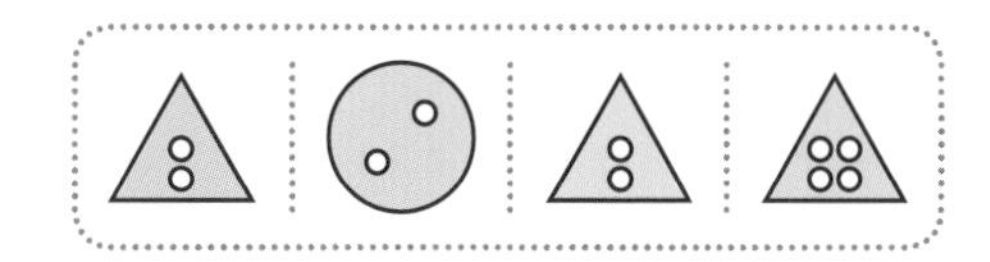

가로, 세로 방향으로 각각 무엇이 달라지는지 말해 보세요.

⑦

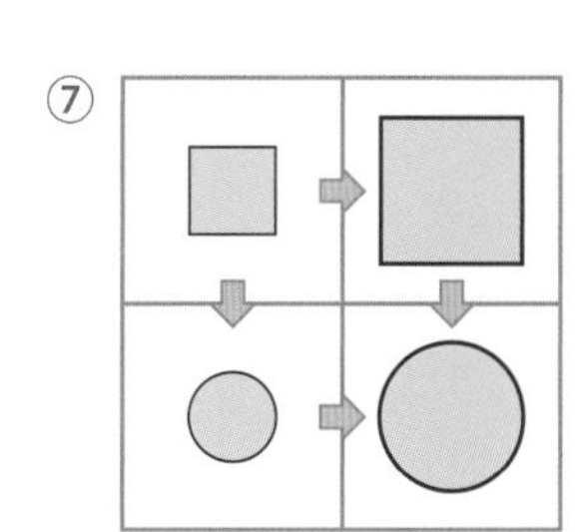

➡ 방향으로 ( 모양이 , 크기가 , 색깔이 ) 달라집니다.

⬇ 방향으로 ( 모양이 , 크기가 , 색깔이 ) 달라집니다.

⑧

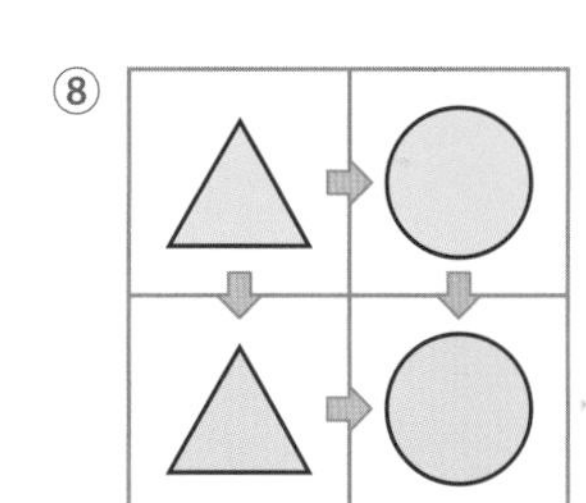

➡ 방향으로 ( 모양이 , 크기가 , 색깔이 ) 달라집니다.

⬇ 방향으로 ( 모양이 , 크기가 , 색깔이 ) 달라집니다.

# 확인학습

빈 곳에 알맞은 그림의 속성을 모두 찾아 색칠하세요.

⑨

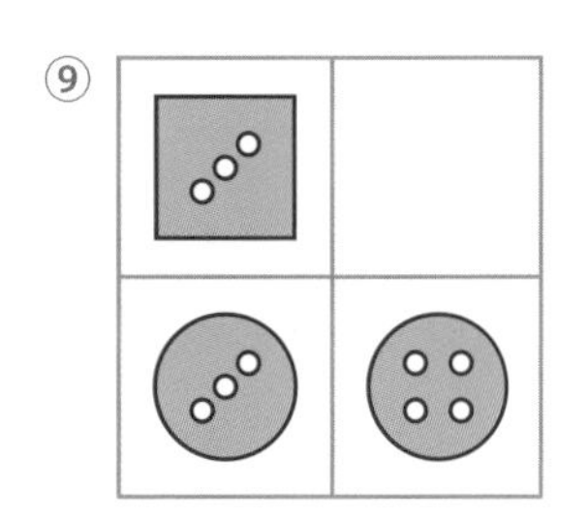

| 구멍 2개 | 구멍 3개 | 구멍 4개 |
|---|---|---|
| 보라색 | 주황색 | 초록색 |
| 세모 | 네모 | 동그라미 |

⑩

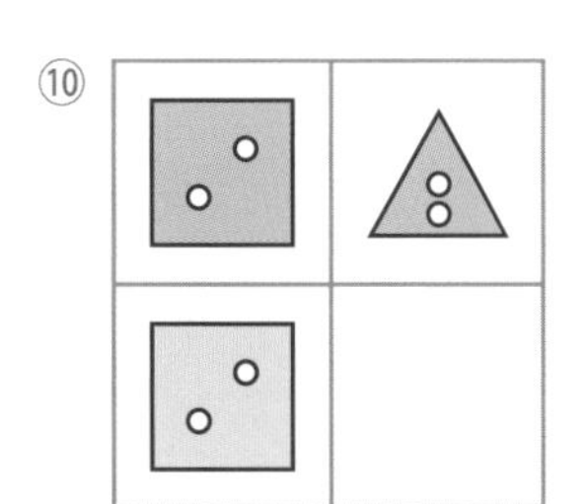

| 구멍 2개 | 구멍 3개 | 구멍 4개 |
|---|---|---|
| 보라색 | 주황색 | 초록색 |
| 세모 | 네모 | 동그라미 |

⑪

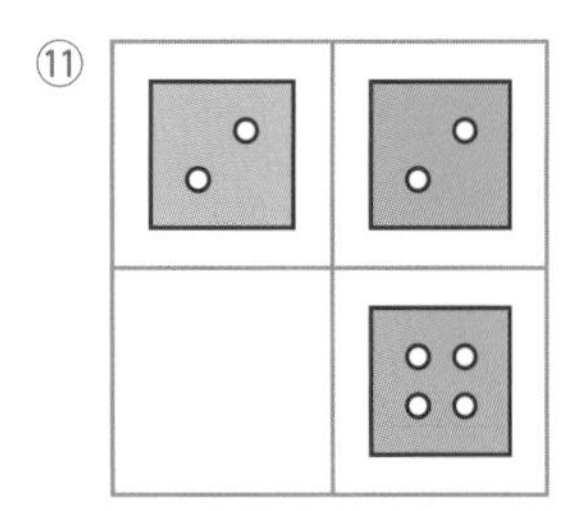

| 구멍 2개 | 구멍 3개 | 구멍 4개 |
|---|---|---|
| 보라색 | 주황색 | 초록색 |
| 세모 | 네모 | 동그라미 |

⑫

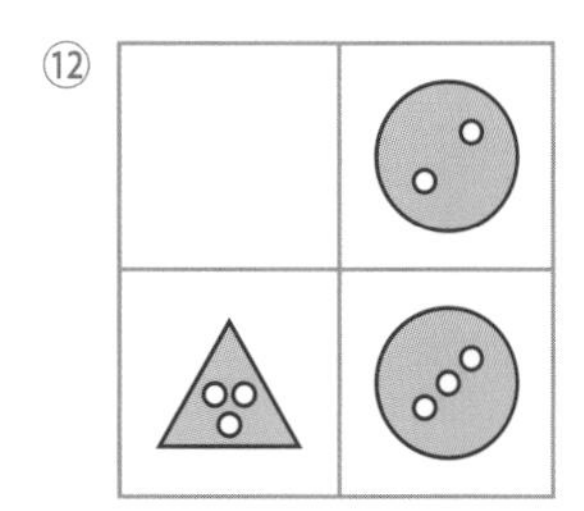

| 구멍 2개 | 구멍 3개 | 구멍 4개 |
|---|---|---|
| 보라색 | 주황색 | 초록색 |
| 세모 | 네모 | 동그라미 |

# 진단평가

진단평가에는 앞에서 학습한 4주차의 문장제 활동이 순서대로 나옵니다. 잘못 푼 문제가 있으면 몇 주차인지 확인하여 반드시 한 번 더 복습해 봅니다.

| | |
|---|---|
| 1주차 | 3주차 |
| 2주차 | 4주차 |

# 진단평가

✎ 모양과 말을 알맞게 이어 보세요.

①  • | • 파란색 • | • 가방입니다.

② • | • 분홍색 • | • 공책입니다.

③ • | • 초록색 • | • 별사탕입니다.

✎ 3개 모두 다른 속성을 찾아 모두 ×표 하세요.

④ 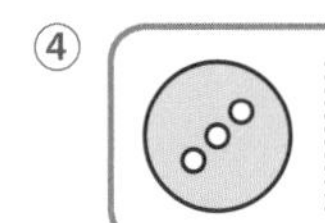 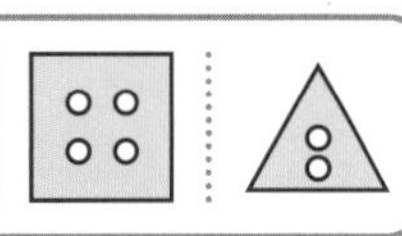

| 모양 | 색깔 | 구멍 수 |
|---|---|---|

⑤ 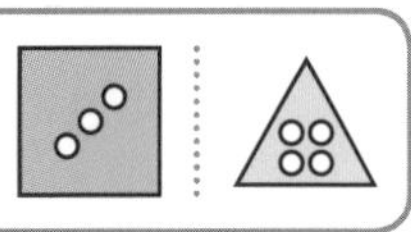

| 모양 | 색깔 | 구멍 수 |
|---|---|---|

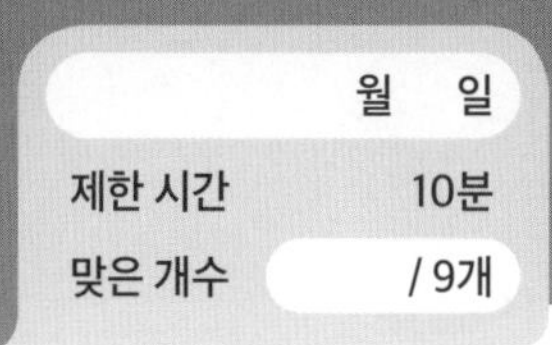


식을 쓰고 답을 구하세요.

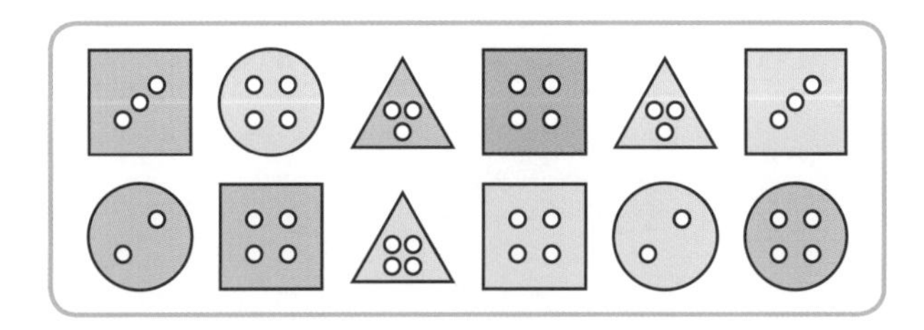

⑥ 주황색 단추와 보라색 단추는 모두 몇 개입니까?

식 : ☐ + ☐ = ☐ 답 : ______ 개

⑦ 네모 모양 단추는 동그라미 모양 단추보다 몇 개 더 많습니까?

식 : ☐ − ☐ = ☐ 답 : ______ 개

빈 곳에 알맞은 그림의 속성을 모두 찾아 색칠하세요.

⑧

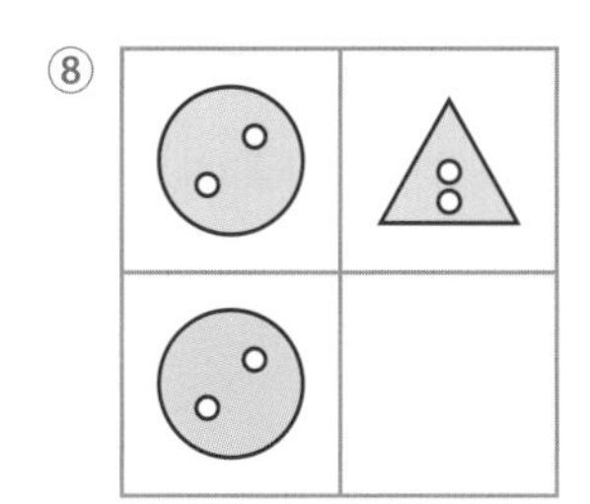

| 구멍 2개 | 구멍 3개 | 구멍 4개 |
|---|---|---|
| 노란색 | 분홍색 | 파란색 |
| 세모 | 네모 | 동그라미 |

⑨

| 구멍 2개 | 구멍 3개 | 구멍 4개 |
|---|---|---|
| 노란색 | 분홍색 | 파란색 |
| 세모 | 네모 | 동그라미 |

# 2회차 진단평가

세 가지 설명에 모두 맞는 것을 찾아 ○표 하세요.

① 이것은 원숭이입니다. 이것은 보라색입니다. 이것은 큽니다.

② 이것은 풍선입니다. 이것은 주황색입니다. 이것은 작습니다.

두 단추 그림을 보고 알맞게 길을 이어 보세요.

③

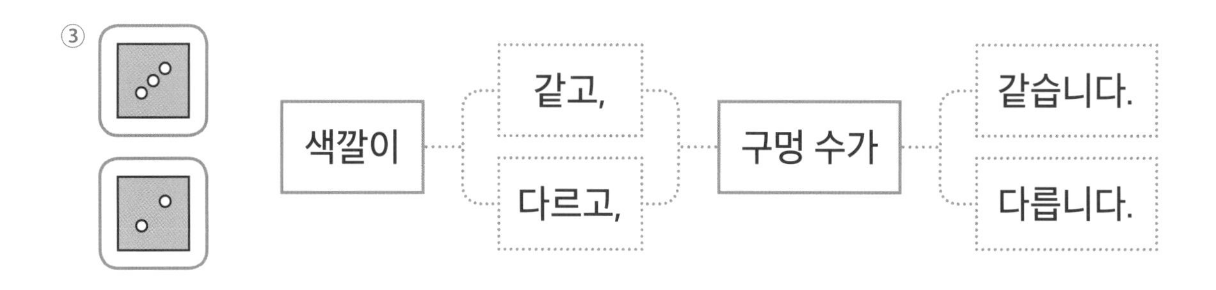
색깔이
같고,
다르고,
구멍 수가
같습니다.
다릅니다.

④

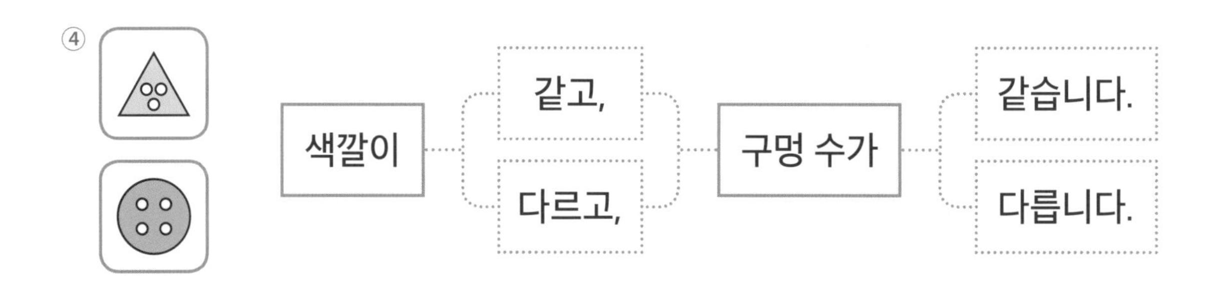
색깔이
같고,
다르고,
구멍 수가
같습니다.
다릅니다.

## 다음 물음에 답하세요.

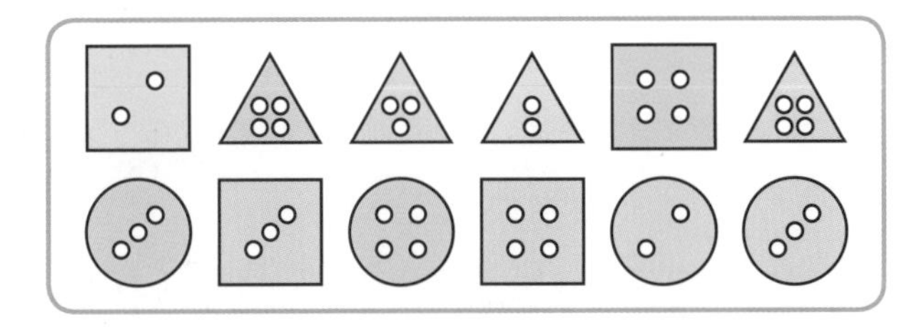

⑤ 구멍이 4개가 아닌 단추는 몇 개입니까? ______ 개

⑥ 파란색이면서 구멍이 3개가 아닌 단추는 몇 개입니까? ______ 개

## 가로, 세로 방향으로 각각 무엇이 달라지는지 말해 보세요.

⑦

➡ 방향으로 ( 모양이 , 크기가 , 색깔이 ) 달라집니다.

⬇ 방향으로 ( 모양이 , 크기가 , 색깔이 ) 달라집니다.

⑧

➡ 방향으로 ( 모양이 , 크기가 , 색깔이 ) 달라집니다.

⬇ 방향으로 ( 모양이 , 크기가 , 색깔이 ) 달라집니다.

✎ 그림을 보고 알맞은 말에 ○표 하세요.

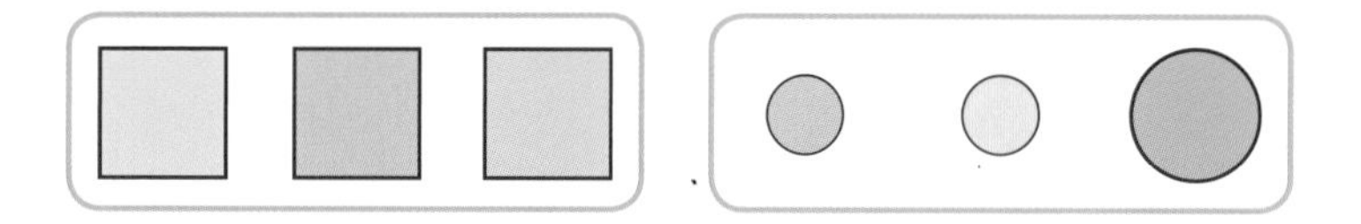

① 왼쪽 모둠은 ( 세모 , 네모 , 동그라미 ) 모양입니다.

② 오른쪽 모둠은 ( 세모 , 네모 , 동그라미 ) 모양입니다.

③ 왼쪽 모둠은 ( 분홍색 , 주황색 , 파란색 ) 모양입니다.

④ 오른쪽 모둠은 ( 분홍색 , 주황색 , 파란색 ) 모양입니다.

✎ 같은 속성에 ○표, 다른 속성에 ×표 하세요.

⑤

⑥

| 월 일 | |
|---|---|
| 제한 시간 | 10분 |
| 맞은 개수 | / 10개 |

✎ 모양별로 세어 ○표 하고, 물음에 답하세요.

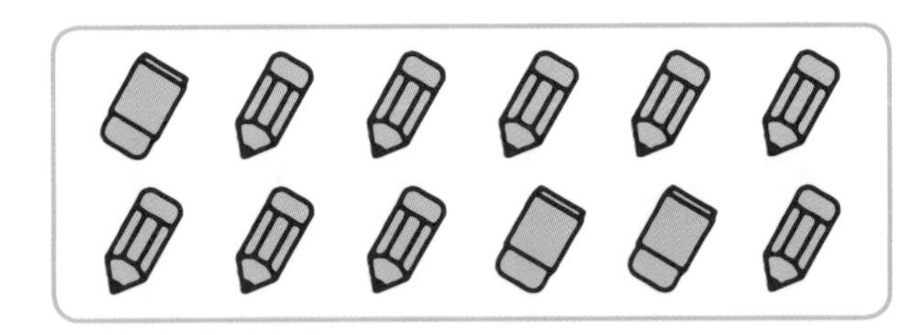

⑦

| 연필 | ○ ○ ○ ○ ○ ○ ○ ○ ○ |
|---|---|
| 지우개 | ○ ○ ○ ○ ○ ○ ○ ○ ○ |

⑧ 둘 중 더 많은 것은 무엇입니까? ( 연필 , 지우개 )

✎ 빈 곳에 알맞은 그림의 속성을 모두 찾아 색칠하세요.

⑨

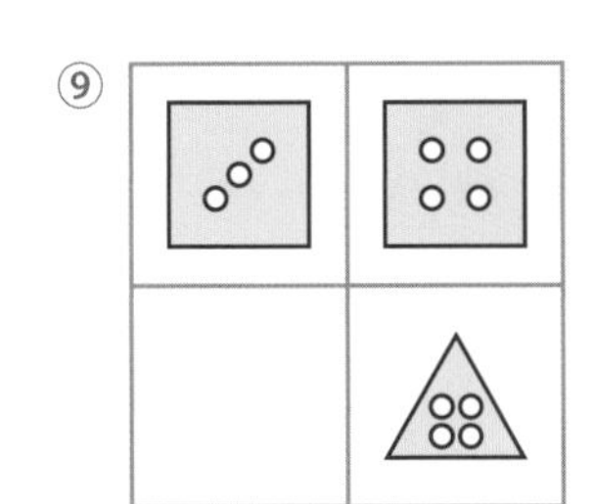

| 구멍 2개 | 구멍 3개 | 구멍 4개 |
|---|---|---|
| 보라색 | 주황색 | 초록색 |
| 세모 | 네모 | 동그라미 |

⑩

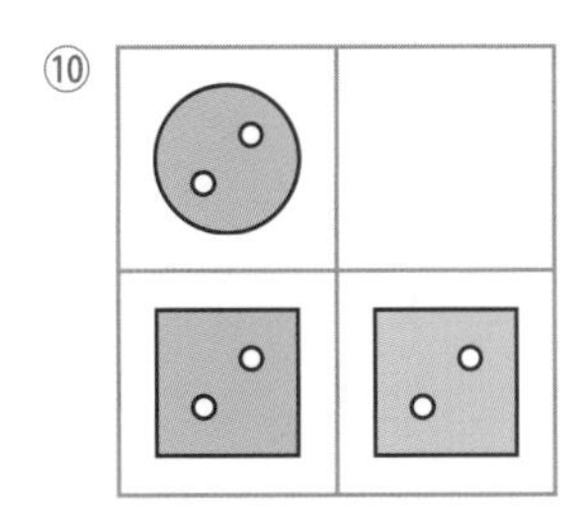

| 구멍 2개 | 구멍 3개 | 구멍 4개 |
|---|---|---|
| 보라색 | 주황색 | 초록색 |
| 세모 | 네모 | 동그라미 |

# 진단평가

✎ 세 가지 설명에 맞는 것을 찾아 ○표 하세요.

① 이것은 솜사탕입니다. 이것은 초록색입니다. 이것은 작습니다.

② 이것은 모자입니다. 이것은 파란색입니다. 이것은 큽니다.

✎ 빈 곳에 알맞은 단추를 위에서 찾아 번호를 써넣으세요.

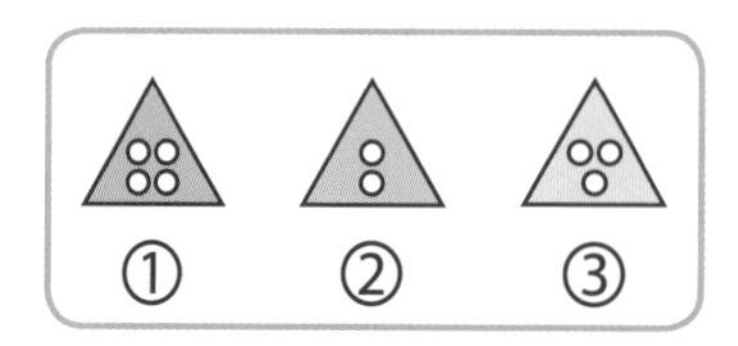


③ 모양이 모두 다르고, 색깔이 모두 다르고, 구멍 수가 모두 다릅니다.

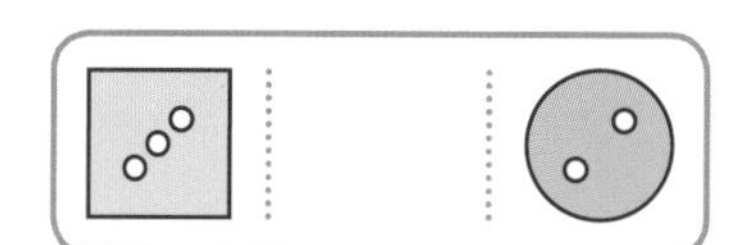

④ 모양이 모두 같고, 색깔이 모두 같고, 구멍 수가 모두 다릅니다.

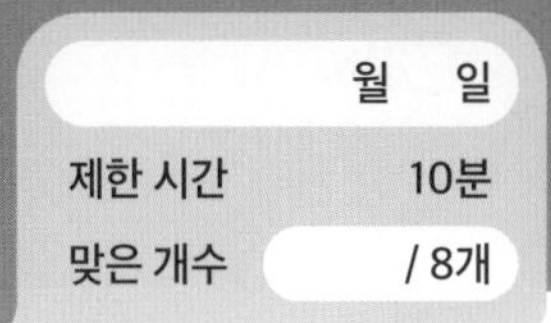


✎ 색깔별 단추의 수를 빈 곳에 써넣고, 물음에 답하세요.

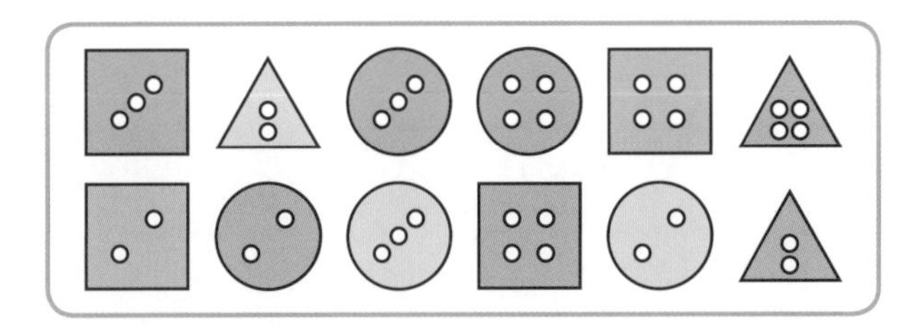

⑤

| 보라색 | 주황색 | 초록색 |
|---|---|---|
| 개 | 개 | 개 |

⑥ 가장 적은 것은 어떤 색 단추입니까? ( 보라색 , 주황색 , 초록색 )

✎ 화살표 방향으로 어떻게 달라지는지 말해 보세요.

⑦

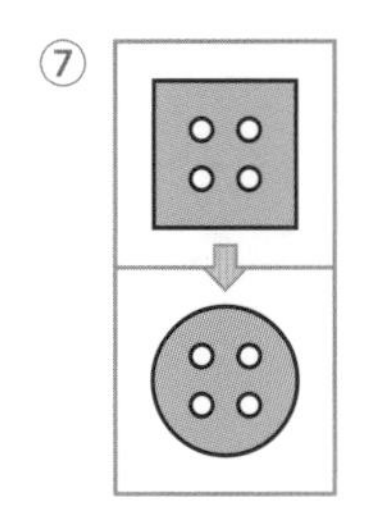

모양이 ( 세모 , 네모 , 동그라미 ) 에서

( 세모 , 네모 , 동그라미 ) 로 달라집니다.

⑧

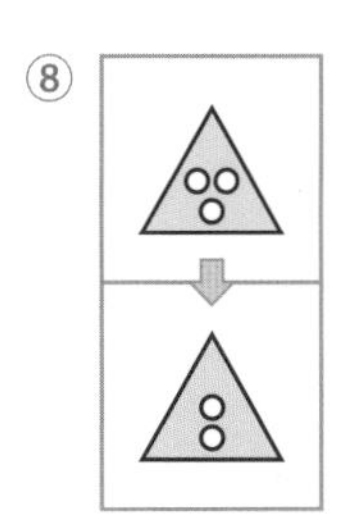

구멍 수가 ( 2개 , 3개 , 4개 ) 에서

( 2개 , 3개 , 4개 ) 로 달라집니다.

5회차 진단평가

물음에 알맞은 번호를 써넣으세요.

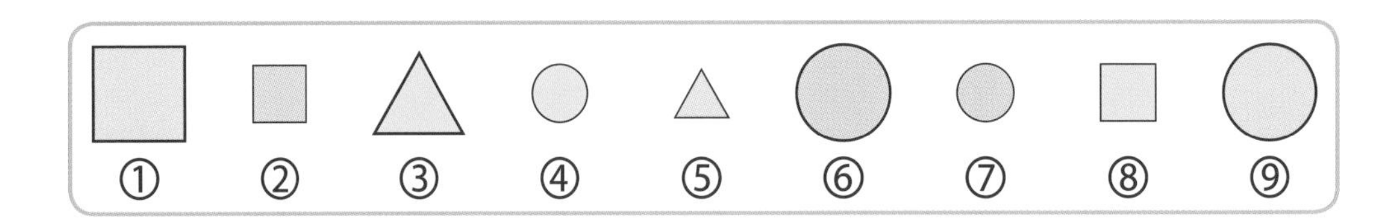


① 세모 모양을 모두 찾아보세요. ________ , ________

② 분홍색 동그라미 모양을 모두 찾아보세요. ________ , ________

③ 작은 노란색 네모 모양을 찾아보세요. ________

나머지와 다른 하나에 ×표 하고, 다른 이유를 말해 보세요.

④

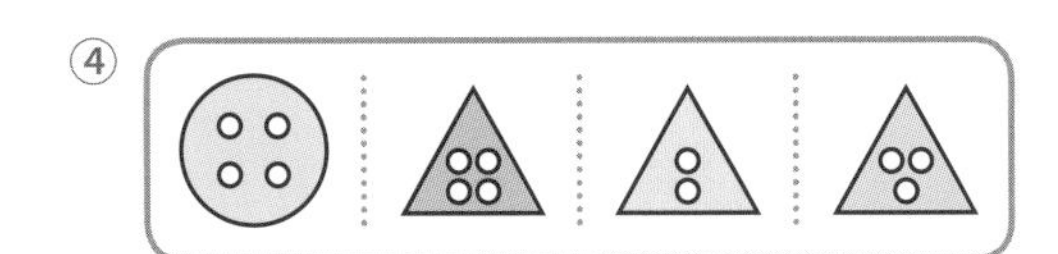

나머지 단추와 ( 모양이 , 색깔이 , 구멍 수가 ) 다릅니다.

⑤

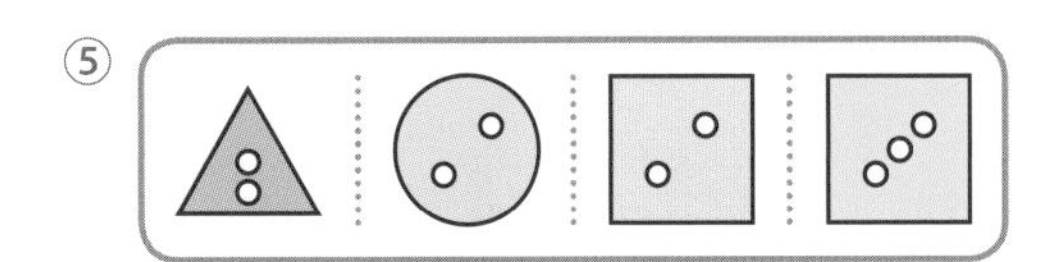

나머지 단추와 ( 모양이 , 색깔이 , 구멍 수가 ) 다릅니다.

| | 월 일 |
|---|---|
| 제한 시간 | 10분 |
| 맞은 개수 | / 9개 |

✎ 식을 쓰고 답을 구하세요.

⑥ 주사위와 풍선은 모두 몇 개입니까?

식 : 

답 : ______ 개

⑦ 지우개는 주사위보다 몇 개 더 많습니까?

식 : □ − □ = □

답 : ______ 개

✎ 빈 곳에 알맞은 그림을 오른쪽에서 골라 ○표 하세요.

⑧ 화살표 방향으로 구멍 수가 3개에서 4개로 달라집니다.

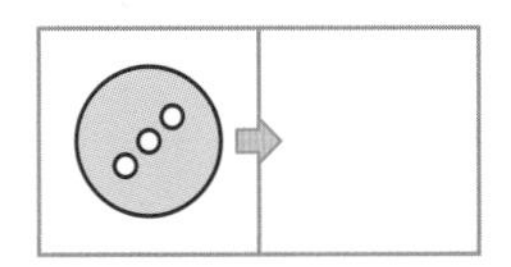

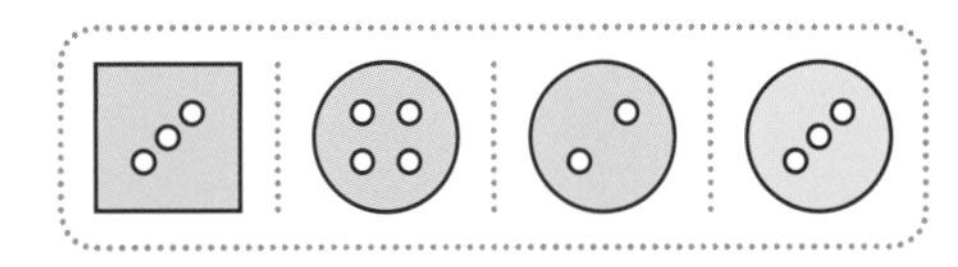

⑨ 화살표 방향으로 모양이 네모에서 세모로 달라집니다.

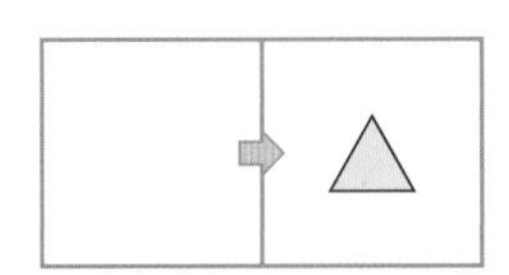

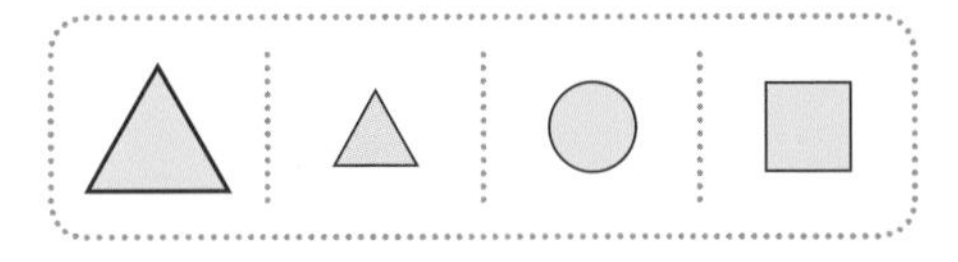

Memo

하루 10분 서술형/문장제 학습지

씨투엠

# 수학 독해

정답

**S4** 속성 분류
5세~7세

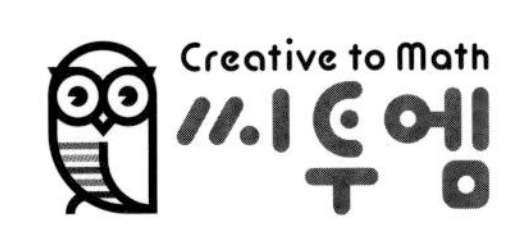

# 정답

**S4** 속성 분류
5세~7세

# 1주 여러 가지 속성

## P 06 ~ 07

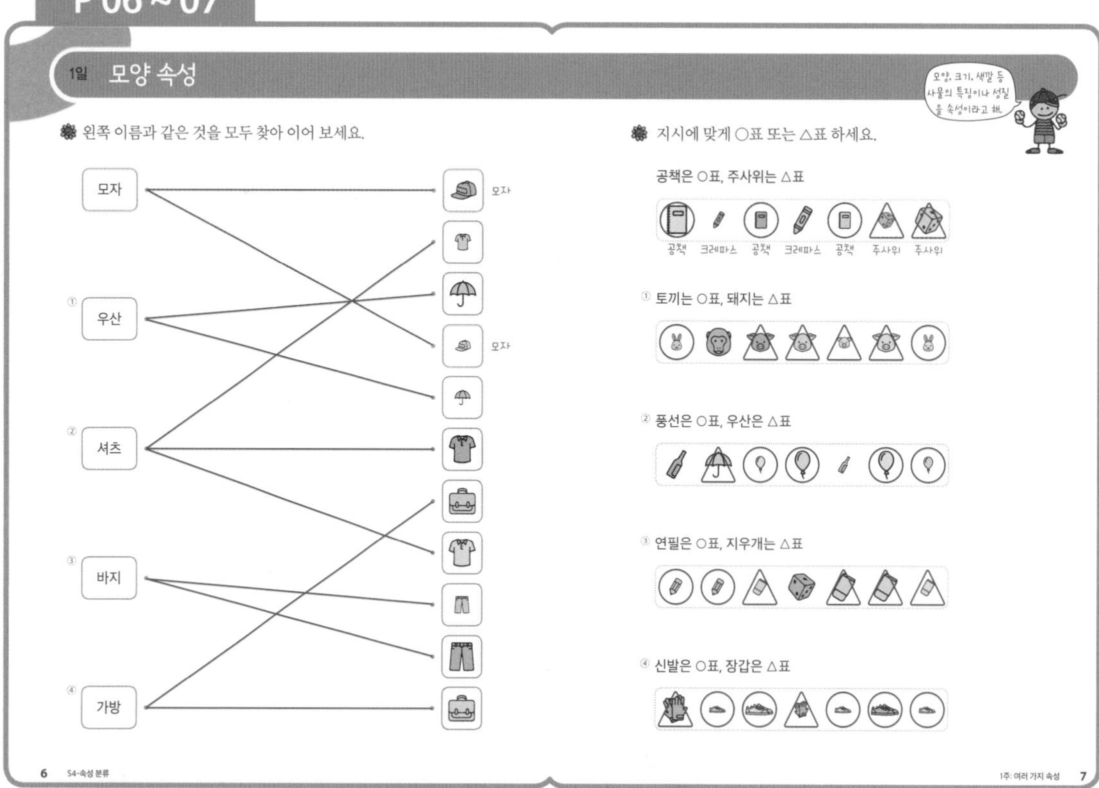

1일 모양 속성
모양, 크기, 색깔 등 사물의 특징이나 성질을 속성이라고 해.
왼쪽 이름과 같은 것을 모두 찾아 이어 보세요.
모자
① 우산
② 셔츠
③ 바지
④ 가방
모자
모자
지시에 맞게 ○표 또는 △표 하세요.
공책은 ○표, 주사위는 △표
공책 크레파스 공책 크레파스 공책 주사위 주사위
① 토끼는 ○표, 돼지는 △표
② 풍선은 ○표, 우산은 △표
③ 연필은 ○표, 지우개는 △표
④ 신발은 ○표, 장갑은 △표
6 S4-속성 분류
1주: 여러 가지 속성 7


## P 08 ~ 09

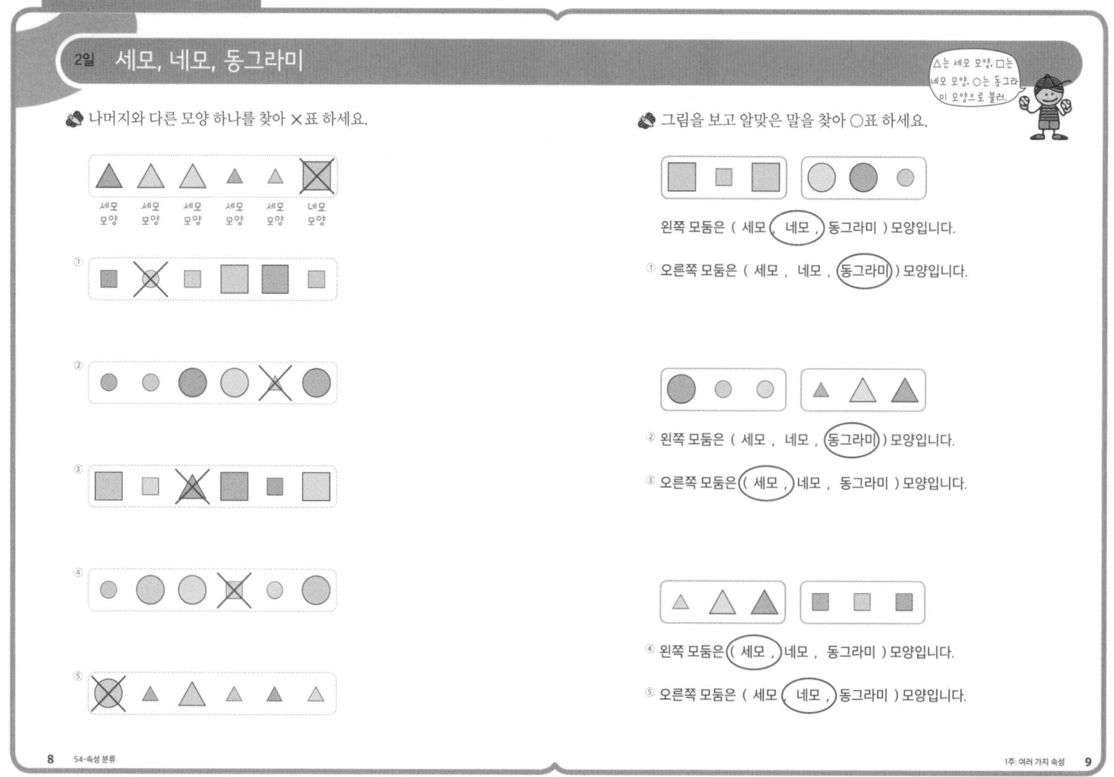

## P 10 ~ 11

3일 큰 것, 작은 것
어떤 물건의 크거나 작은 특징을 크기 속성이라고 해.
그림을 보고 알맞은 말을 찾아 ○표 하세요.
큰 버섯
작은 버섯
왼쪽 버섯이 오른쪽 버섯보다 더 ( 큽니다 , 작습니다 ).
① 왼쪽 솜사탕이 오른쪽 솜사탕보다 더 ( 큽니다 , 작습니다 ).
② 왼쪽 버스가 오른쪽 버스보다 더 ( 큽니다 , 작습니다 ).
③ 오른쪽 지우개가 왼쪽 지우개보다 더 ( 큽니다 , 작습니다 ).
④ 오른쪽 유리병이 왼쪽 유리병보다 더 ( 큽니다 , 작습니다 ).
왼쪽 모양에 맞게 길을 이어 보세요.
큰
작은
세모
네모
동그라미
모양입니다.
10 S4-속성 분류
1주: 여러 가지 속성 11

## P 12 ~ 13

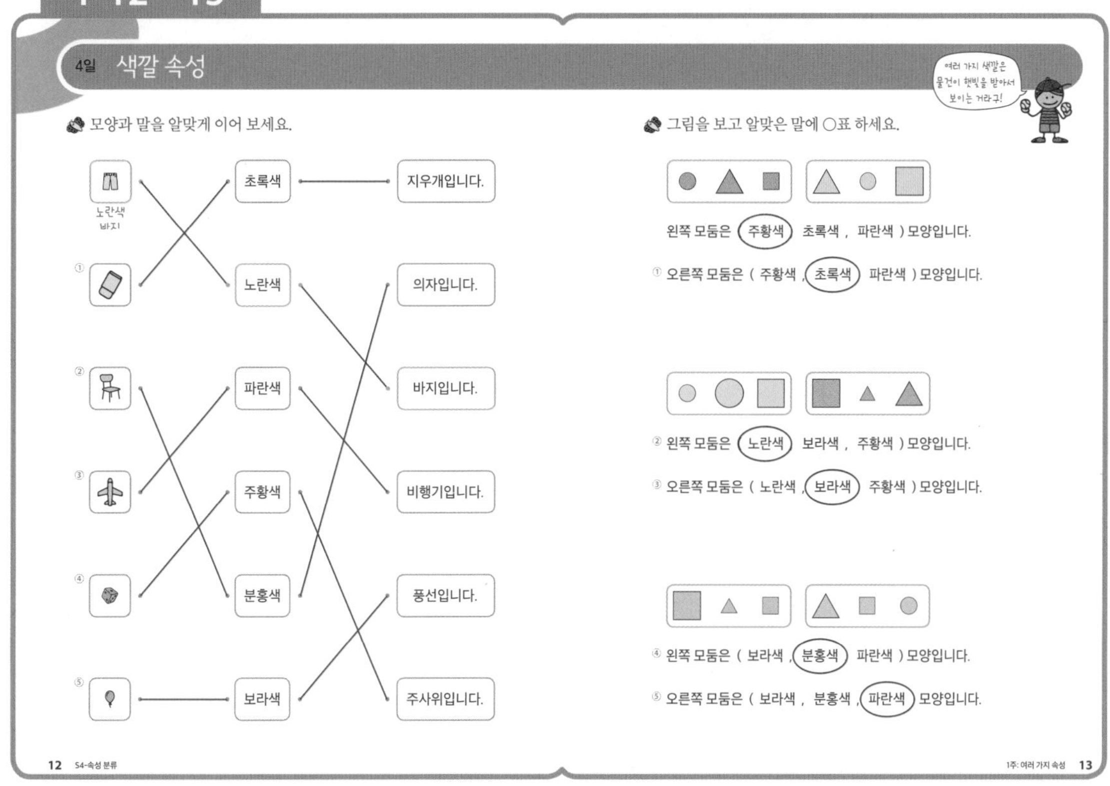
4일 색깔 속성
여러 가지 색깔은 물건이 햇빛을 받아서 보이는 거라구!
모양과 말을 알맞게 이어 보세요.
노란색 바지
초록색
노란색
파란색
주황색
분홍색
보라색
지우개입니다.
의자입니다.
바지입니다.
비행기입니다.
풍선입니다.
주사위입니다.
그림을 보고 알맞은 말에 ○표 하세요.
왼쪽 모둠은 ( 주황색 , 초록색 , 파란색 ) 모양입니다.
① 오른쪽 모둠은 ( 주황색 , 초록색 , 파란색 ) 모양입니다.
② 왼쪽 모둠은 ( 노란색 , 보라색 , 주황색 ) 모양입니다.
③ 오른쪽 모둠은 ( 노란색 , 보라색 , 주황색 ) 모양입니다.
④ 왼쪽 모둠은 ( 보라색 , 분홍색 , 파란색 ) 모양입니다.
⑤ 오른쪽 모둠은 ( 보라색 , 분홍색 , 파란색 ) 모양입니다.
12 S4-속성 분류
1주: 여러 가지 속성 13

## P 14 ~ 15

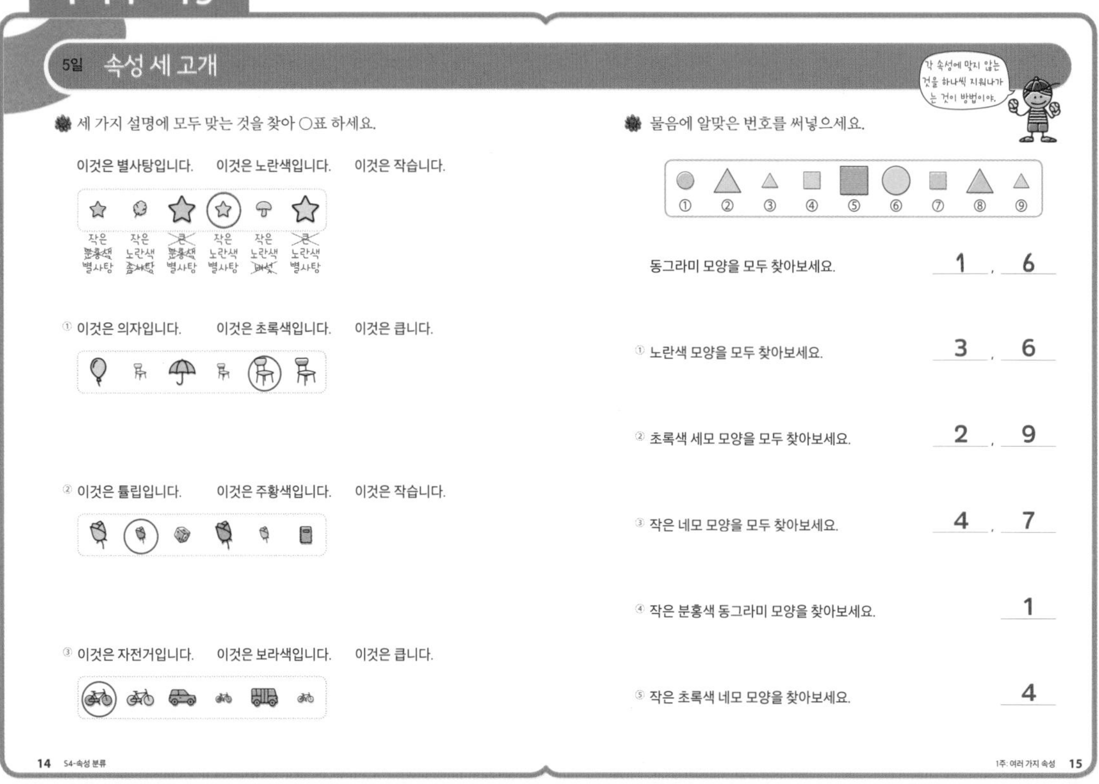

5일 속성 세 고개

세 가지 설명에 모두 맞는 것을 찾아 ○표 하세요.

이것은 별사탕입니다. 이것은 노란색입니다. 이것은 작습니다.

작은 분홍색 별사탕 / 작은 노란색 솜사탕 / 큰 분홍색 별사탕 / 작은 노란색 별사탕 / 작은 노란색 버섯 / 큰 노란색 별사탕

① 이것은 의자입니다. 이것은 초록색입니다. 이것은 큽니다.

② 이것은 튤립입니다. 이것은 주황색입니다. 이것은 작습니다.

③ 이것은 자전거입니다. 이것은 보라색입니다. 이것은 큽니다.

각 속성에 맞지 않는 것을 하나씩 지워나가는 것이 방법이야.

물음에 알맞은 번호를 써넣으세요.

① ② ③ ④ ⑤ ⑥ ⑦ ⑧ ⑨

동그라미 모양을 모두 찾아보세요. 1, 6

① 노란색 모양을 모두 찾아보세요. 3, 6

② 초록색 세모 모양을 모두 찾아보세요. 2, 9

③ 작은 네모 모양을 모두 찾아보세요. 4, 7

④ 작은 분홍색 동그라미 모양을 찾아보세요. 1

⑤ 작은 초록색 네모 모양을 찾아보세요. 4

14 S4-속성 분류 1주: 여러 가지 속성 15

## P 16 ~ 17

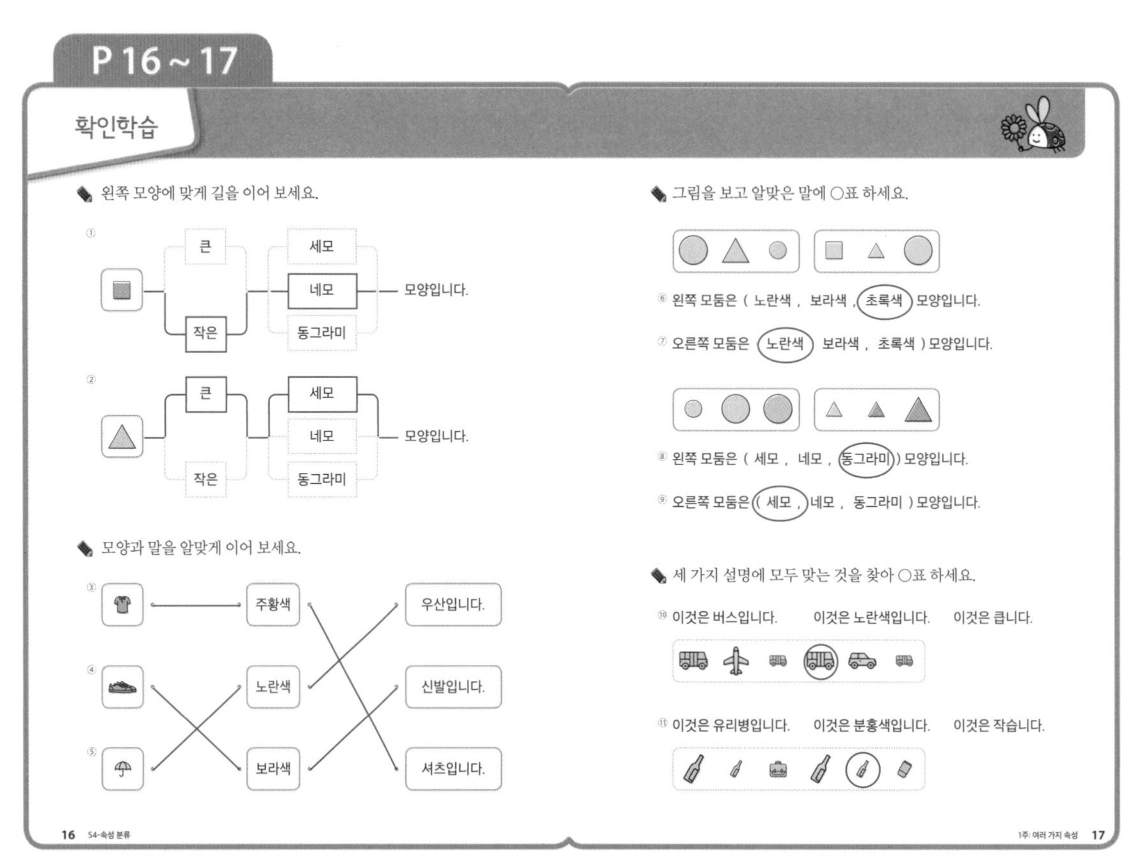

확인학습

왼쪽 모양에 맞게 길을 이어 보세요.

① 큰 / 작은 — 세모 / 네모 / 동그라미 — 모양입니다.

② 큰 / 작은 — 세모 / 네모 / 동그라미 — 모양입니다.

모양과 말을 알맞게 이어 보세요.

③ 주황색 — 우산입니다.

④ 노란색 — 신발입니다.

⑤ 보라색 — 셔츠입니다.

그림을 보고 알맞은 말에 ○표 하세요.

⑥ 왼쪽 모둠은 ( 노란색 , 보라색 , 초록색 ) 모양입니다.

⑦ 오른쪽 모둠은 ( 노란색 , 보라색 , 초록색 ) 모양입니다.

⑧ 왼쪽 모둠은 ( 세모 , 네모 , 동그라미 ) 모양입니다.

⑨ 오른쪽 모둠은 ( 세모 , 네모 , 동그라미 ) 모양입니다.

세 가지 설명에 모두 맞는 것을 찾아 ○표 하세요.

⑩ 이것은 버스입니다. 이것은 노란색입니다. 이것은 큽니다.

⑪ 이것은 유리병입니다. 이것은 분홍색입니다. 이것은 작습니다.

16 S4-속성 분류 1주: 여러 가지 속성 17

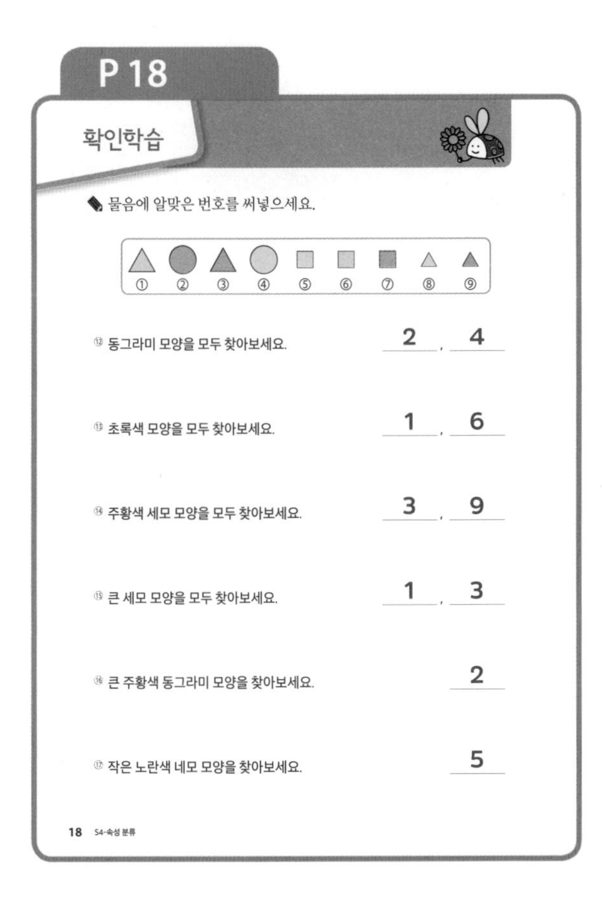

P 18

확인학습

물음에 알맞은 번호를 써넣으세요.

① ② ③ ④ ⑤ ⑥ ⑦ ⑧ ⑨

⑫ 동그라미 모양을 모두 찾아보세요. 2, 4

⑬ 초록색 모양을 모두 찾아보세요. 1, 6

⑭ 주황색 세모 모양을 모두 찾아보세요. 3, 9

⑮ 큰 세모 모양을 모두 찾아보세요. 1, 3

⑯ 큰 주황색 동그라미 모양을 찾아보세요. 2

⑰ 작은 노란색 네모 모양을 찾아보세요. 5

18 S4-속성 분류

# 2주 같은 점과 다른 점

## P 20 ~ 21

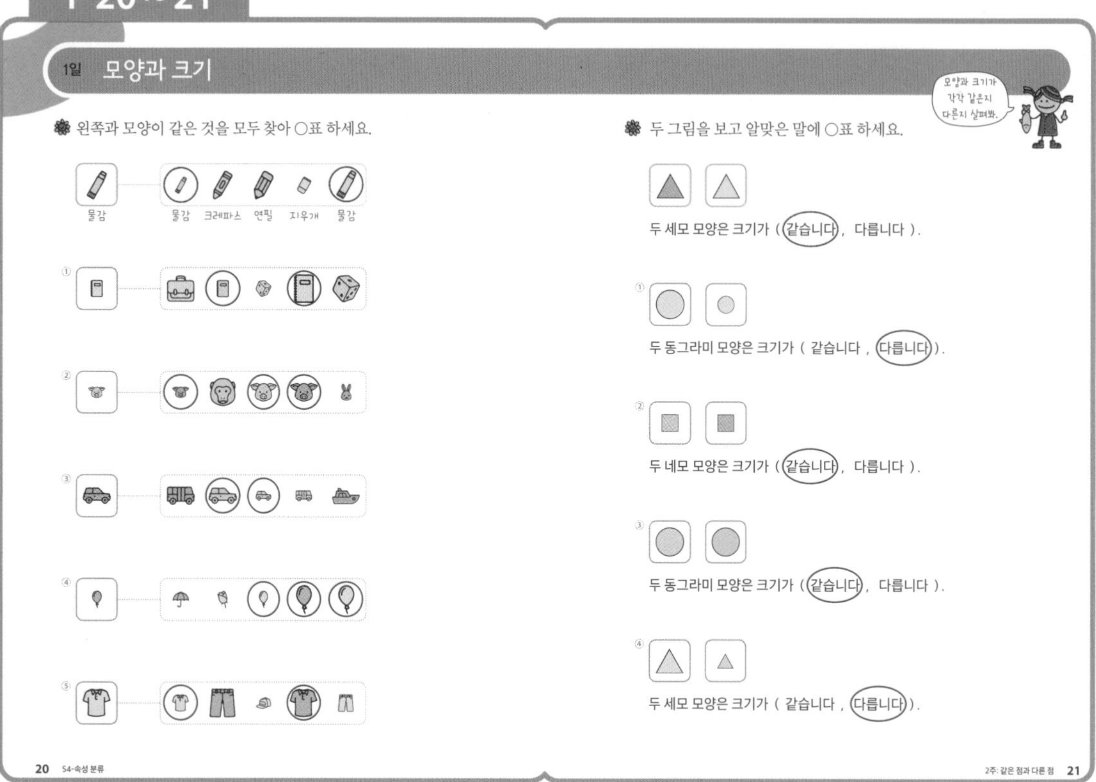

1일 모양과 크기
왼쪽과 모양이 같은 것을 모두 찾아 ○표 하세요.
물감
물감 크레파스 연필 지우개 물감
두 그림을 보고 알맞은 말에 ○표 하세요.
두 세모 모양은 크기가 ( 같습니다 , 다릅니다 ).
두 동그라미 모양은 크기가 ( 같습니다 , 다릅니다 ).
두 네모 모양은 크기가 ( 같습니다 , 다릅니다 ).
두 동그라미 모양은 크기가 ( 같습니다 , 다릅니다 ).
두 세모 모양은 크기가 ( 같습니다 , 다릅니다 ).
20 S4-속성 분류
2주: 같은 점과 다른 점 21


## P 22 ~ 23

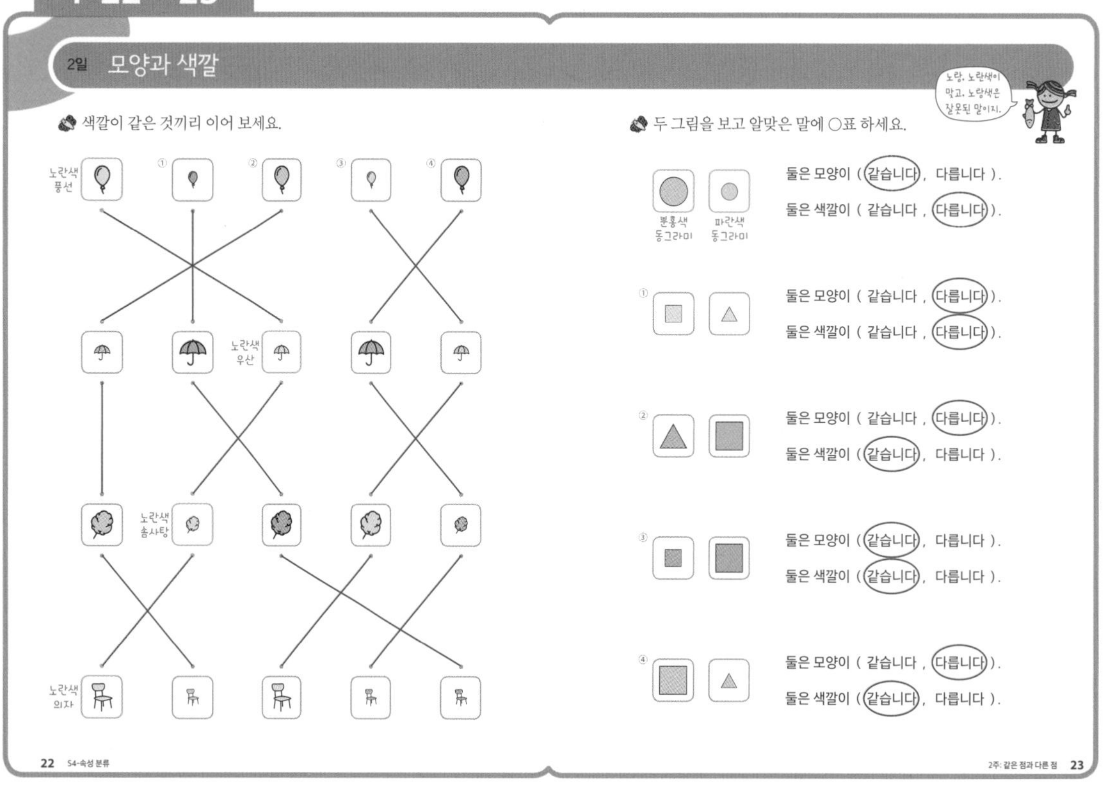

2일 모양과 색깔
색깔이 같은 것끼리 이어 보세요.
노란색 풍선
노란색 우산
노란색 솜사탕
노란색 의자
두 그림을 보고 알맞은 말에 ○표 하세요.
분홍색 동그라미
파란색 동그라미
둘은 모양이 ( 같습니다 , 다릅니다 ).
둘은 색깔이 ( 같습니다 , 다릅니다 ).
22 S4-속성 분류
2주: 같은 점과 다른 점 23

## P 24 ~ 25

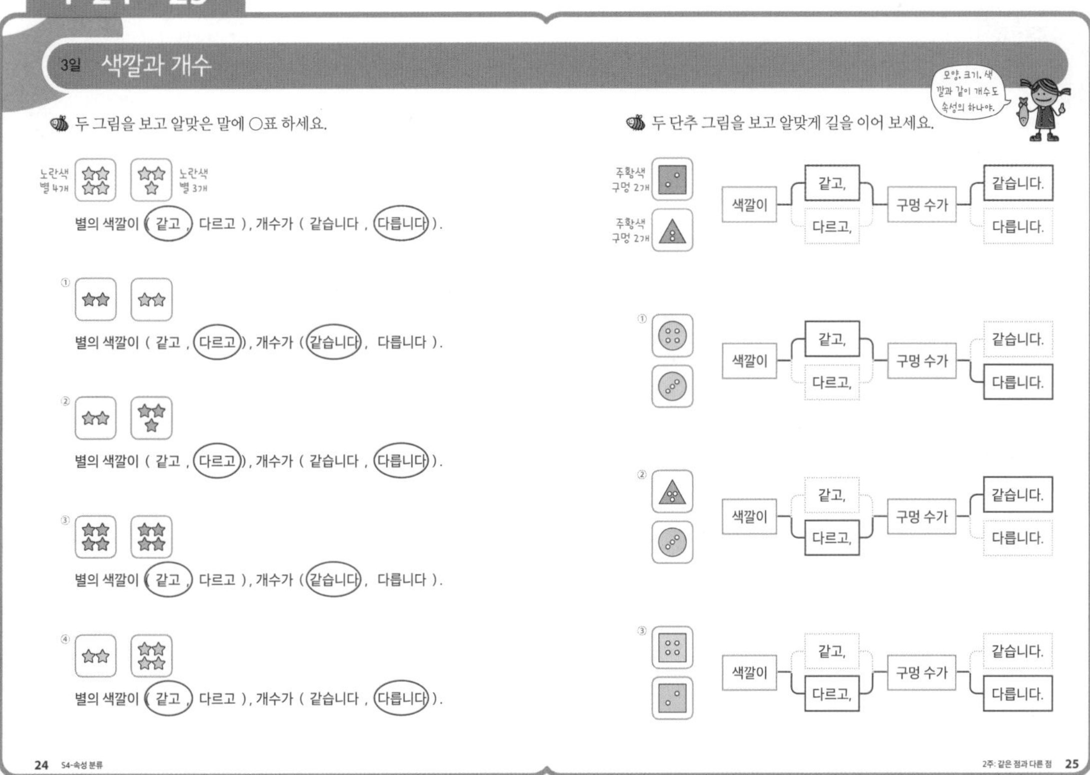
3일 색깔과 개수

두 그림을 보고 알맞은 말에 ○표 하세요.

노란색 별 4개 / 노란색 별 3개

별의 색깔이 ( 같고 , 다르고 ), 개수가 ( 같습니다 , 다릅니다 ).

① 별의 색깔이 ( 같고 , 다르고 ), 개수가 ( 같습니다 , 다릅니다 ).

② 별의 색깔이 ( 같고 , 다르고 ), 개수가 ( 같습니다 , 다릅니다 ).

③ 별의 색깔이 ( 같고 , 다르고 ), 개수가 ( 같습니다 , 다릅니다 ).

④ 별의 색깔이 ( 같고 , 다르고 ), 개수가 ( 같습니다 , 다릅니다 ).

두 단추 그림을 보고 알맞게 길을 이어 보세요.

모양, 크기, 색깔과 같이 개수도 속성의 하나야.



주황색 구멍 2개 / 주황색 구멍 2개

색깔이 — 같고, / 다르고, — 구멍 수가 — 같습니다. / 다릅니다.

① 색깔이 — 같고, / 다르고, — 구멍 수가 — 같습니다. / 다릅니다.

② 색깔이 — 같고, / 다르고, — 구멍 수가 — 같습니다. / 다릅니다.

③ 색깔이 — 같고, / 다르고, — 구멍 수가 — 같습니다. / 다릅니다.

24 S4-속성 분류 · 2주: 같은 점과 다른 점 25

## P 26 ~ 27

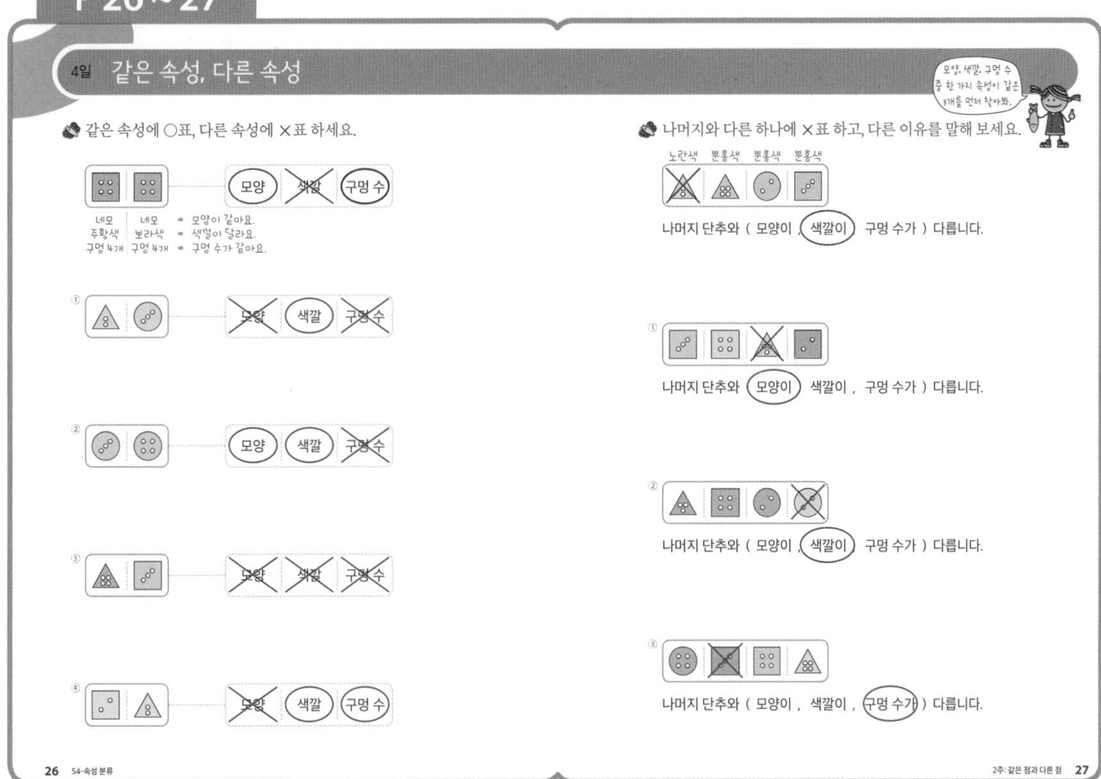
4일 같은 속성, 다른 속성

같은 속성에 ○표, 다른 속성에 ×표 하세요.

모양 / 색깔 / 구멍 수

네모 주황색 구멍 4개 | 네모 보라색 구멍 4개 → 모양이 같아요. → 색깔이 달라요. → 구멍 수가 같아요.

① 모양 / 색깔 / 구멍 수

② 모양 / 색깔 / 구멍 수

③ 모양 / 색깔 / 구멍 수

④ 모양 / 색깔 / 구멍 수

나머지와 다른 하나에 ×표 하고, 다른 이유를 말해 보세요.

모양, 색깔, 구멍 수 중 한 가지 속성이 같은 3개를 먼저 찾아봐.



노란색 분홍색 분홍색 분홍색

나머지 단추와 ( 모양이 , 색깔이 , 구멍 수가 ) 다릅니다.

① 나머지 단추와 ( 모양이 , 색깔이 , 구멍 수가 ) 다릅니다.

② 나머지 단추와 ( 모양이 , 색깔이 , 구멍 수가 ) 다릅니다.

③ 나머지 단추와 ( 모양이 , 색깔이 , 구멍 수가 ) 다릅니다.

26 S4-속성 분류 · 2주: 같은 점과 다른 점 27

# 2주 같은 점과 다른 점

## P 28 ~ 29

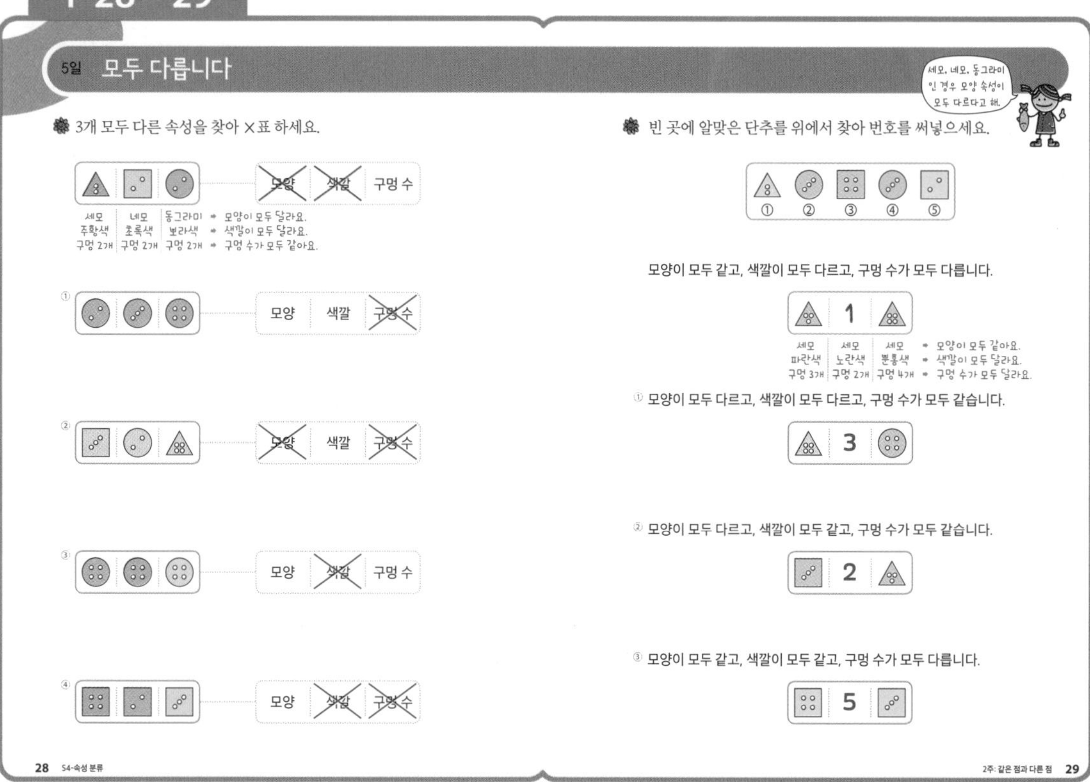

두 그림을 보고 알맞은 말에 ○표 하세요.

① 둘은 모양이 ( 같습니다 , (다릅니다) ).
둘은 색깔이 ( 같습니다 , (다릅니다) ).

② 둘은 모양이 ( (같습니다) , 다릅니다 ).
둘은 색깔이 ( 같습니다 , (다릅니다) ).

두 단추 그림을 보고 알맞게 길을 이어 보세요.

③ 색깔이 — 같고, / 다르고, — 구멍 수가 — 같습니다. / 다릅니다. (답: 색깔이 같고, 구멍 수가 같습니다.)

④ 색깔이 — 같고, / 다르고, — 구멍 수가 — 같습니다. / 다릅니다. (답: 색깔이 다르고, 구멍 수가 같습니다.)

같은 속성에 ○표, 다른 속성에 ×표 하세요.

⑤ (모양) (색깔) (구멍 수)

⑥ ~~모양~~ ~~색깔~~ (구멍 수)

나머지와 다른 하나에 ×표 하고, 다른 이유를 말해 보세요.

⑦ 나머지 단추와 ( 모양이 , 색깔이 , (구멍 수가) ) 다릅니다.

⑧ 나머지 단추와 ( 모양이 , (색깔이) 구멍 수가 ) 다릅니다.

30 S4-속성 분류 / 2주: 같은 점과 다른 점 31

## 확인학습

빈 곳에 알맞은 단추를 위에서 찾아 번호를 써넣으세요.

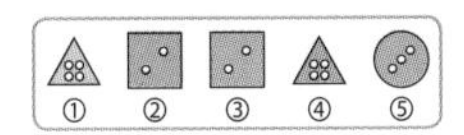


⑨ 모양이 모두 같고, 색깔이 모두 같고, 구멍 수가 모두 같습니다.

⑩ 모양이 모두 다르고, 색깔이 모두 다르고, 구멍 수가 모두 같습니다.

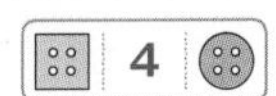


⑪ 모양이 모두 같고, 색깔이 모두 다르고, 구멍 수가 모두 같습니다.

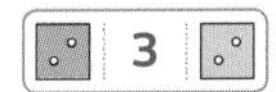


⑫ 모양이 모두 다르고, 색깔이 모두 같고, 구멍 수가 모두 다릅니다.

32 S4-속성 분류

# 3주 분류하여 세기

## P 34 ~ 35

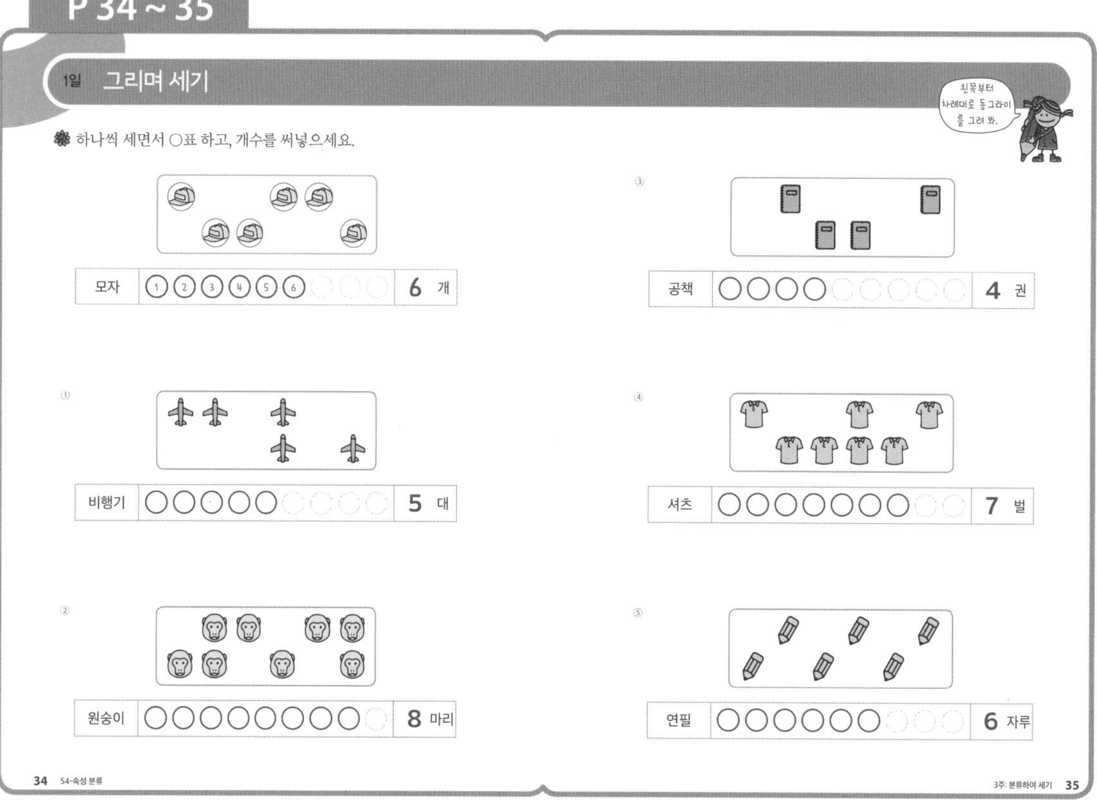


## P 36 ~ 37

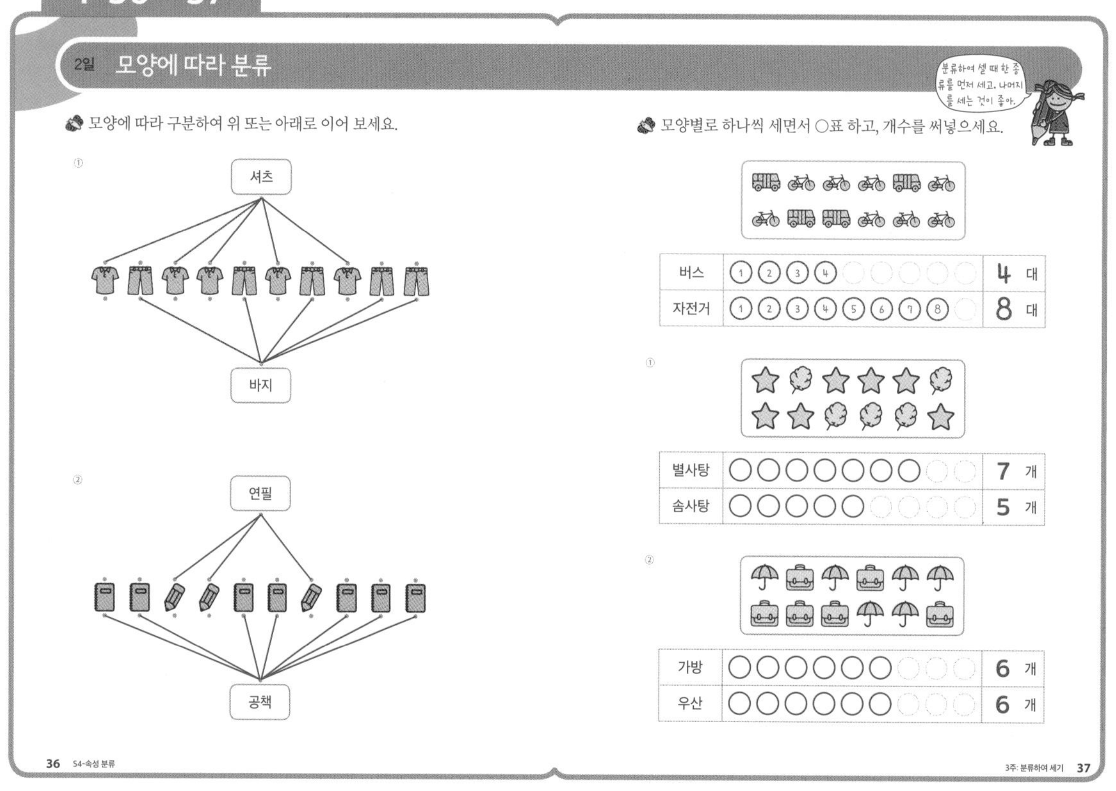

2일 모양에 따라 분류
분류하여 셀 때 한 종류를 먼저 세고, 나머지를 세는 것이 좋아.
모양에 따라 구분하여 위 또는 아래로 이어 보세요.
① 셔츠
바지
② 연필
공책
모양별로 하나씩 세면서 ○표 하고, 개수를 써넣으세요.
버스 4 대
자전거 8 대
① 별사탕 7 개
솜사탕 5 개
② 가방 6 개
우산 6 개
36 S4-속성 분류
3주: 분류하여 세기 37

## P 38 ~ 39

### 3일 속성에 따라 분류

나누는 기준에 따라 여러 가지 방법으로 분류할 수 있어.

여러 가지 속성을 가진 단추가 있습니다. 물음에 답하세요.

모양별로 세어 ○표 하세요.

| 네모 | ○○○○○ |
|---|---|
| 동그라미 | ○○○○○○○ |

① 동그라미 모양 단추는 몇 개입니까? 7 개

② 네모 모양 단추는 몇 개입니까? 5 개

③ 색깔별로 세어 ○표 하세요.

| 노란색 | ○○○○ |
|---|---|
| 분홍색 | ○○○○○ |
| 초록색 | ○○○ |

④ 분홍색 단추는 몇 개입니까? 5 개

⑤ 초록색 단추는 몇 개입니까? 3 개

⑥ 구멍 수별로 세어 ○표 하세요.

| 구멍 2개 | ○○○ |
|---|---|
| 구멍 3개 | ○○○○ |
| 구멍 4개 | ○○○○○ |

⑦ 구멍이 4개인 단추는 몇 개입니까? 5 개

⑧ 구멍이 3개인 단추는 몇 개입니까? 4 개

⑨ 구멍이 2개인 단추는 몇 개입니까? 3 개

38 S4-속성 분류 3주: 분류하여 세기 39

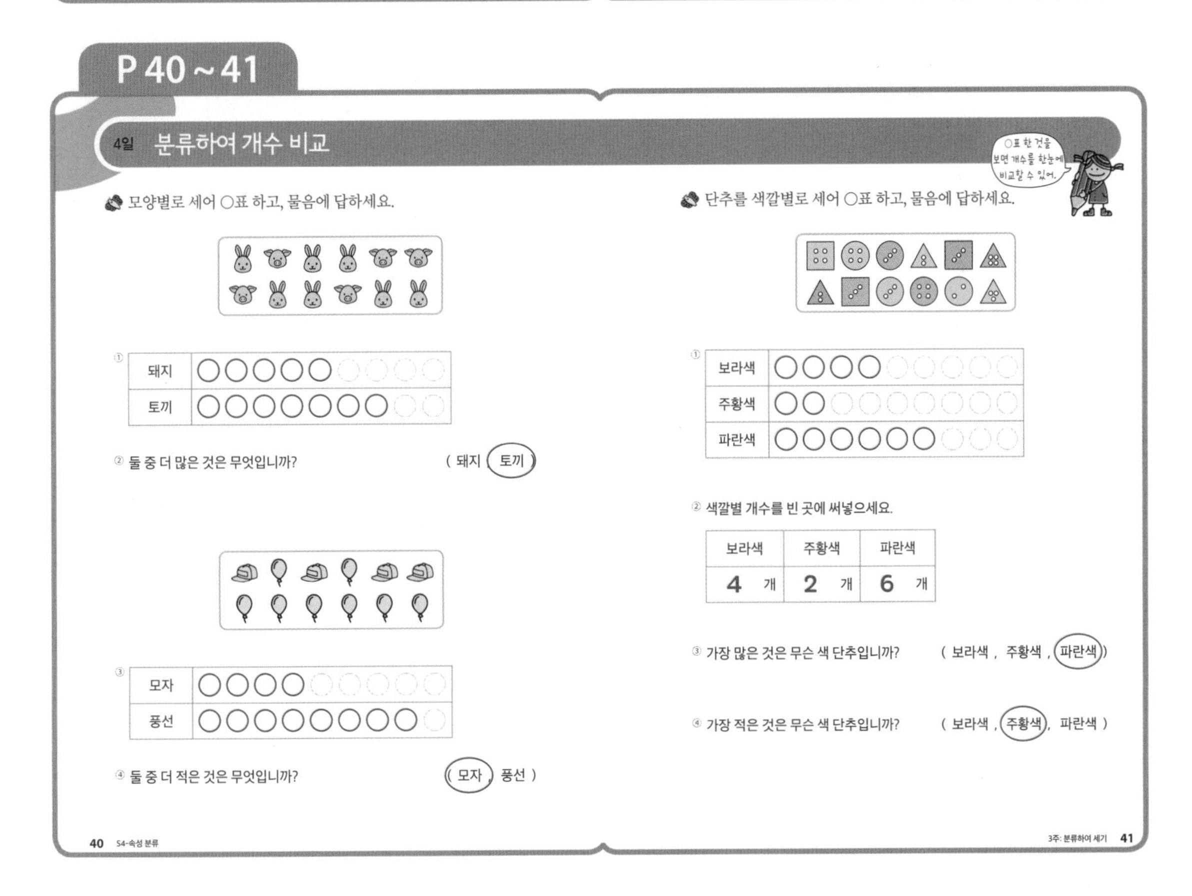

## P 40 ~ 41

### 4일 분류하여 개수 비교

○표 한 것을 보면 개수를 한눈에 비교할 수 있어.

모양별로 세어 ○표 하고, 물음에 답하세요.

①

| 돼지 | ○○○○○ |
|---|---|
| 토끼 | ○○○○○○○ |

② 둘 중 더 많은 것은 무엇입니까? ( 돼지 , (토끼) )

③

| 모자 | ○○○○ |
|---|---|
| 풍선 | ○○○○○○○○ |

④ 둘 중 더 적은 것은 무엇입니까? ( (모자) , 풍선 )

단추를 색깔별로 세어 ○표 하고, 물음에 답하세요.

①

| 보라색 | ○○○○ |
|---|---|
| 주황색 | ○○ |
| 파란색 | ○○○○○○ |

② 색깔별 개수를 빈 곳에 써넣으세요.

| 보라색 | 주황색 | 파란색 |
|---|---|---|
| 4 개 | 2 개 | 6 개 |

③ 가장 많은 것은 무슨 색 단추입니까? ( 보라색 , 주황색 , (파란색) )

④ 가장 적은 것은 무슨 색 단추입니까? ( 보라색 , (주황색) , 파란색 )

40 S4-속성 분류 3주: 분류하여 세기 41

## P 42 ~ 43

### 5일 속성 분류 문장제

❀ 식을 쓰고 답을 구하세요.

자전거와 비행기는 모두 몇 대입니까?

식 : 3 + 2 = 5 답 : 5 대

(자전거 3대 | 비행기 2대)

① 버스와 비행기는 모두 몇 대입니까?

식 : 7 + 2 = 9 답 : 9 대

② 버스는 자전거보다 몇 대 더 많습니까?

식 : 7 − 3 = 4 답 : 4 대

③ 자전거는 비행기보다 몇 대 더 많습니까?

식 : 3 − 2 = 1 답 : 1 대

파란색이 아닌 단추는 나머지 두 색깔 단추를 뜻하지.

❀ 다음 물음에 답하세요.

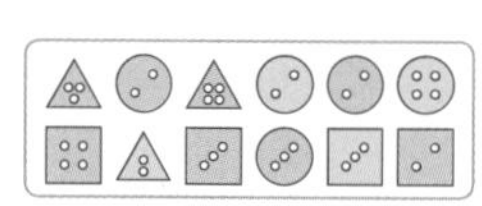

파란색이 아닌 단추는 몇 개입니까? 7 개

(파란색이 아닌 단추) = (노란색 단추) + (분홍색 단추) = 4 + 3 = 7

① 네모 모양이 아닌 단추는 몇 개입니까? 8 개

② 노란색이면서 구멍이 2개인 단추는 몇 개입니까? 2 개

③ 네모 모양이면서 분홍색이 아닌 단추는 몇 개입니까? 3 개

④ 구멍이 2개이면서 세모 모양이 아닌 단추는 몇 개입니까? 4 개

42 S4-속성 분류 3주: 분류하여 세기 43

## P 44 ~ 45

### 확인학습

✎ 모양별로 세어 ○표 하고, 물음에 답하세요.

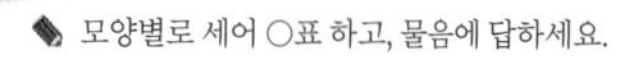

①

| | |
|---|---|
| 별사탕 | ○○○○○○○ |
| 솜사탕 | ○○○○○ |

② 둘 중 더 적은 것은 무엇입니까? ( 별사탕 , (솜사탕) )

✎ 구멍 수별 단추의 수를 빈 곳에 써넣고, 물음에 답하세요.

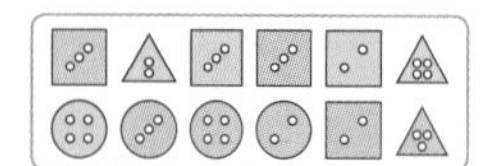

③

| 구멍 2개 | 구멍 3개 | 구멍 4개 |
|---|---|---|
| 4 개 | 5 개 | 3 개 |

④ 가장 많은 것은 구멍이 몇 개인 단추입니까? ( 2개 , (3개) , 4개 )

✎ 식을 쓰고 답을 구하세요.

⑤ 모자와 우산은 모두 몇 개입니까?

식 : 6 + 2 = 8 답 : 8 개

⑥ 가방과 우산은 모두 몇 개입니까?

식 : 4 + 2 = 6 답 : 6 개

⑦ 모자는 우산보다 몇 개 더 많습니까?

식 : 6 − 2 = 4 답 : 4 개

⑧ 모자는 가방보다 몇 개 더 많습니까?

식 : 6 − 4 = 2 답 : 2 개

44 S4-속성 분류 3주: 분류하여 세기 45

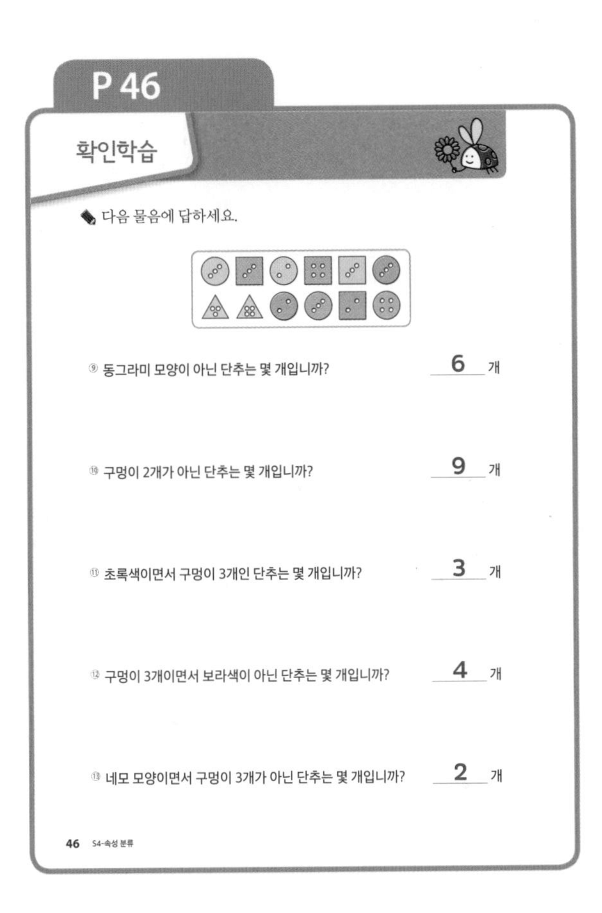
P 46

확인학습

다음 물음에 답하세요.

⑨ 동그라미 모양이 아닌 단추는 몇 개입니까? 6 개

⑩ 구멍이 2개가 아닌 단추는 몇 개입니까? 9 개

⑪ 초록색이면서 구멍이 3개인 단추는 몇 개입니까? 3 개

⑫ 구멍이 3개이면서 보라색이 아닌 단추는 몇 개입니까? 4 개

⑬ 네모 모양이면서 구멍이 3개가 아닌 단추는 몇 개입니까? 2 개

46 S4-속성 분류

## P 48 ~ 49

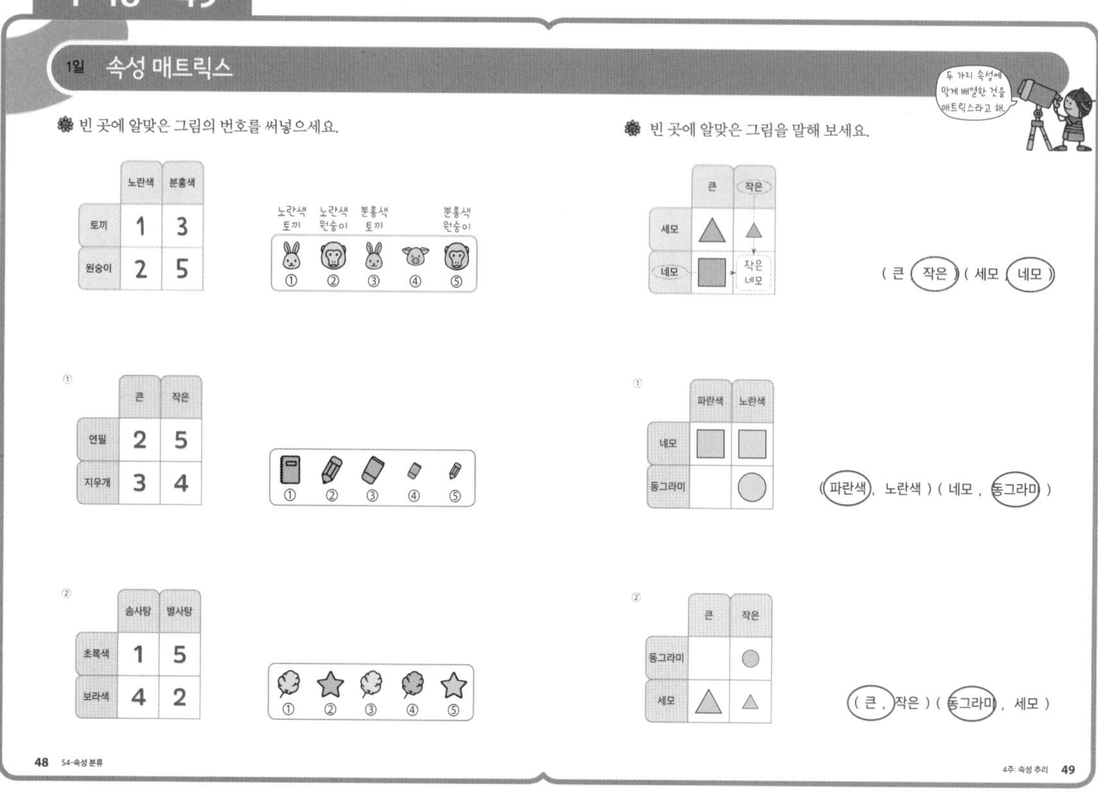
1일 속성 매트릭스
빈 곳에 알맞은 그림의 번호를 써넣으세요.
노란색
분홍색
토끼
원숭이
1
3
2
5
빈 곳에 알맞은 그림을 말해 보세요.
두 가지 속성에 맞게 배열한 것을 매트릭스라고 해.
큰
작은
세모
네모
( 큰 ( 작은 ) ( 세모 ( 네모 )
큰
작은
연필
지우개
2
5
3
4
파란색
노란색
네모
동그라미
(파란색, 노란색 ) ( 네모 , 동그라미 )
솜사탕
별사탕
초록색
보라색
1
5
4
2
( 큰 , 작은 ) ( 동그라미, 세모 )
48 S4-속성 분류
4주: 속성 추리 49

## P 50 ~ 51

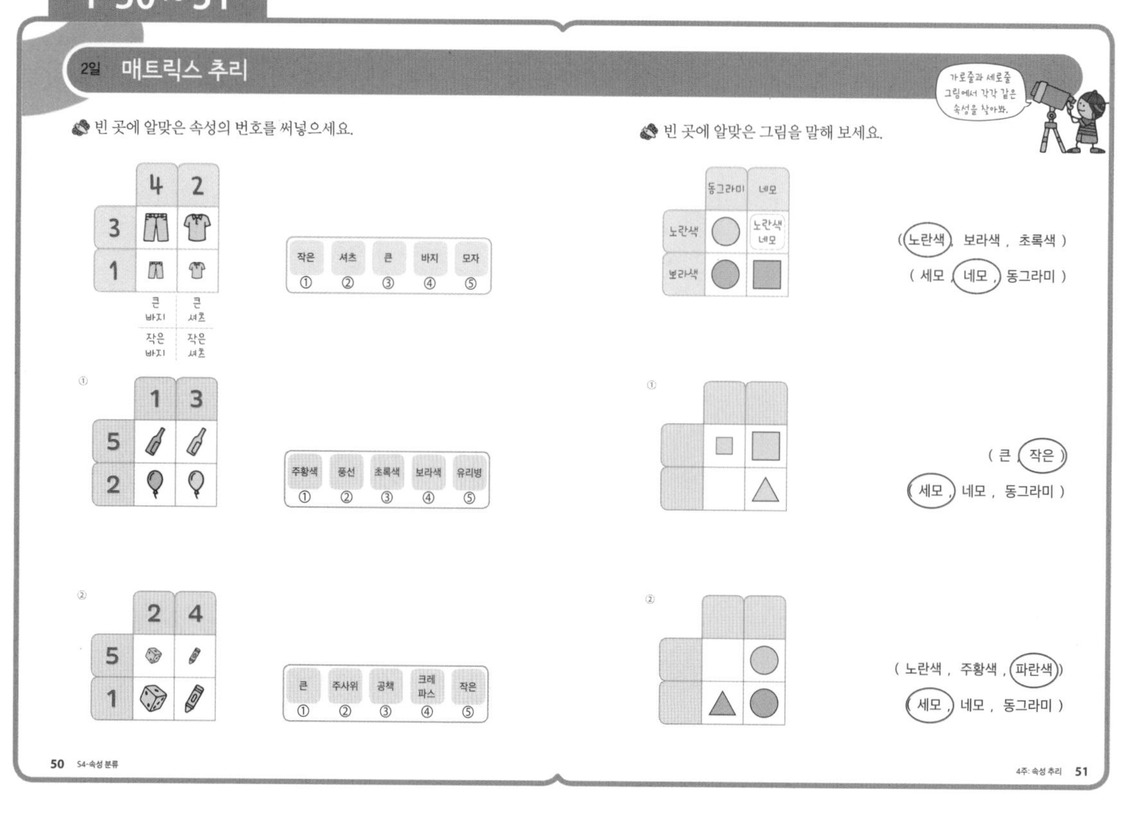
2일 매트릭스 추리
빈 곳에 알맞은 속성의 번호를 써넣으세요.
가로줄과 세로줄 그림에서 각각 같은 속성을 찾아봐.
빈 곳에 알맞은 그림을 말해 보세요.
4
2
3
1
작은
셔츠
큰
바지
모자
동그라미
네모
노란색
보라색
(노란색, 보라색 , 초록색 )
( 세모 , 네모 , 동그라미 )
1
3
5
2
주황색
풍선
초록색
보라색
유리병
( 큰 , 작은 )
( 세모 , 네모 , 동그라미 )
2
4
5
1
큰
주사위
공책
크레파스
작은
( 노란색 , 주황색 , 파란색 )
( 세모 , 네모 , 동그라미 )
50 S4-속성 분류
4주: 속성 추리 51

## P 52 ~ 53

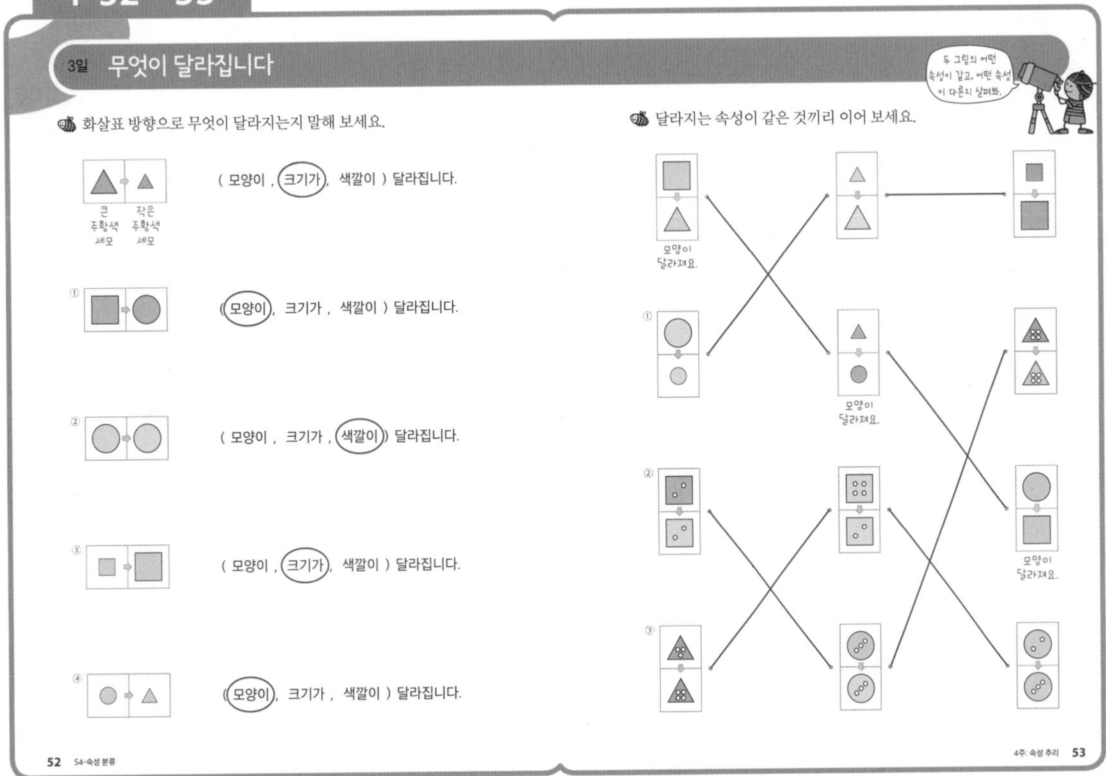
3일 무엇이 달라집니다
화살표 방향으로 무엇이 달라지는지 말해 보세요.
큰 주황색 세모
작은 주황색 세모
( 모양이 , 크기가 , 색깔이 ) 달라집니다.
( 모양이 , 크기가 , 색깔이 ) 달라집니다.
( 모양이 , 크기가 , 색깔이 ) 달라집니다.
( 모양이 , 크기가 , 색깔이 ) 달라집니다.
( 모양이 , 크기가 , 색깔이 ) 달라집니다.
52 S4-속성 분류
두 그림의 어떤 속성이 같고, 어떤 속성이 다른지 살펴봐.
달라지는 속성이 같은 것끼리 이어 보세요.
모양이 달라져요.
모양이 달라져요.
모양이 달라져요.
4주: 속성 추리 53

## P 54 ~ 55

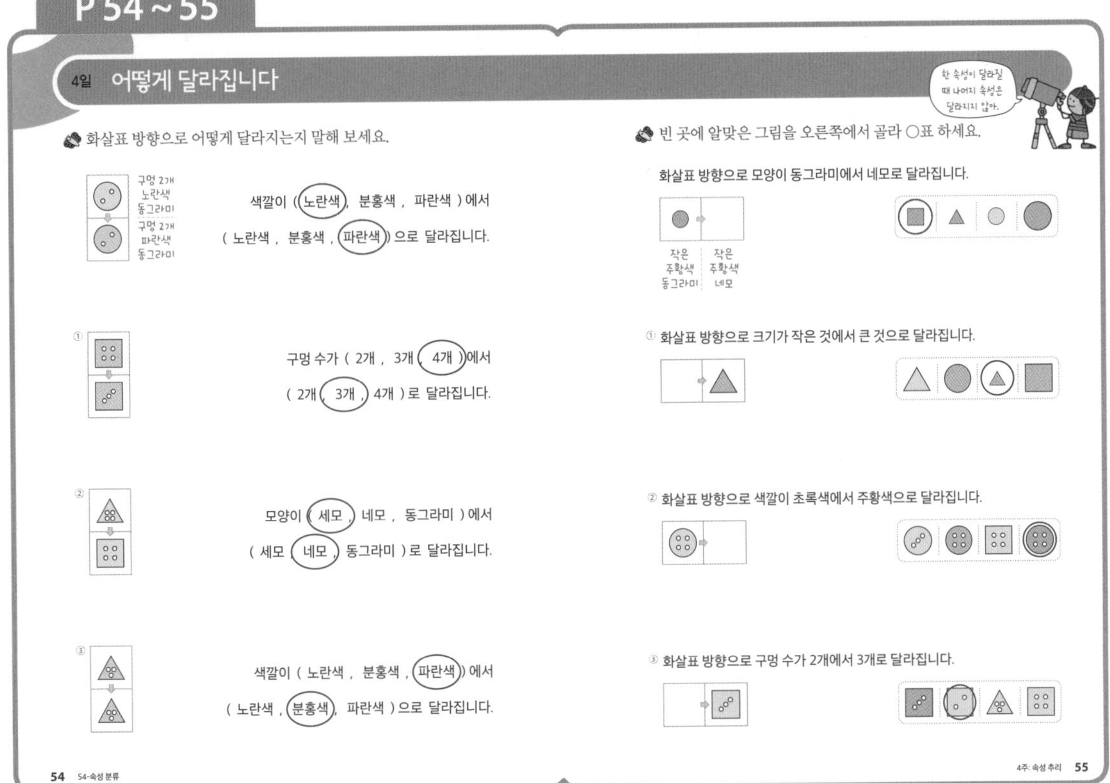
4일 어떻게 달라집니다
화살표 방향으로 어떻게 달라지는지 말해 보세요.
구멍 2개 노란색 동그라미
구멍 2개 파란색 동그라미
색깔이 ( 노란색 , 분홍색 , 파란색 ) 에서
( 노란색 , 분홍색 , 파란색 ) 으로 달라집니다.
구멍 수가 ( 2개 , 3개 , 4개 ) 에서
( 2개 , 3개 , 4개 ) 로 달라집니다.
모양이 ( 세모 , 네모 , 동그라미 ) 에서
( 세모 , 네모 , 동그라미 ) 로 달라집니다.
색깔이 ( 노란색 , 분홍색 , 파란색 ) 에서
( 노란색 , 분홍색 , 파란색 ) 으로 달라집니다.
54 S4-속성 분류
한 속성이 달라질 때 나머지 속성은 달라지지 않아.
빈 곳에 알맞은 그림을 오른쪽에서 골라 ○표 하세요.
화살표 방향으로 모양이 동그라미에서 네모로 달라집니다.
작은 주황색 동그라미
작은 주황색 네모
① 화살표 방향으로 크기가 작은 것에서 큰 것으로 달라집니다.
② 화살표 방향으로 색깔이 초록색에서 주황색으로 달라집니다.
③ 화살표 방향으로 구멍 수가 2개에서 3개로 달라집니다.
4주: 속성 추리 55

## P 56 ~ 57

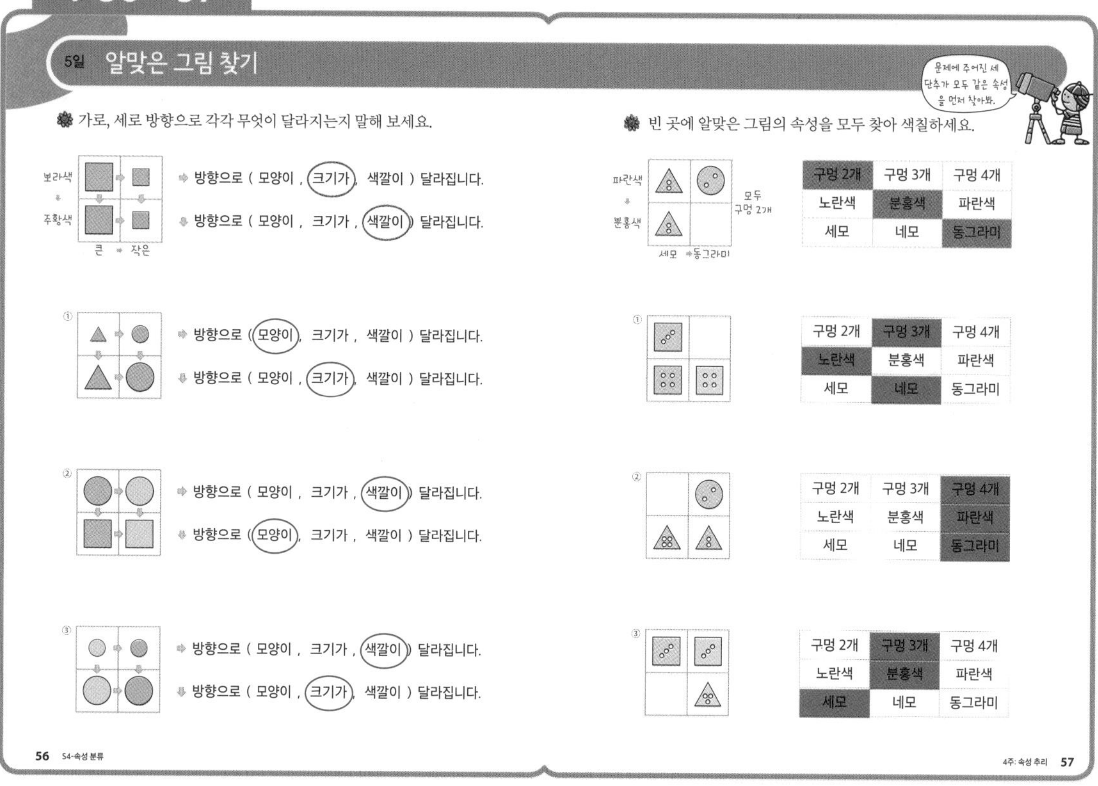

## P 58 ~ 59

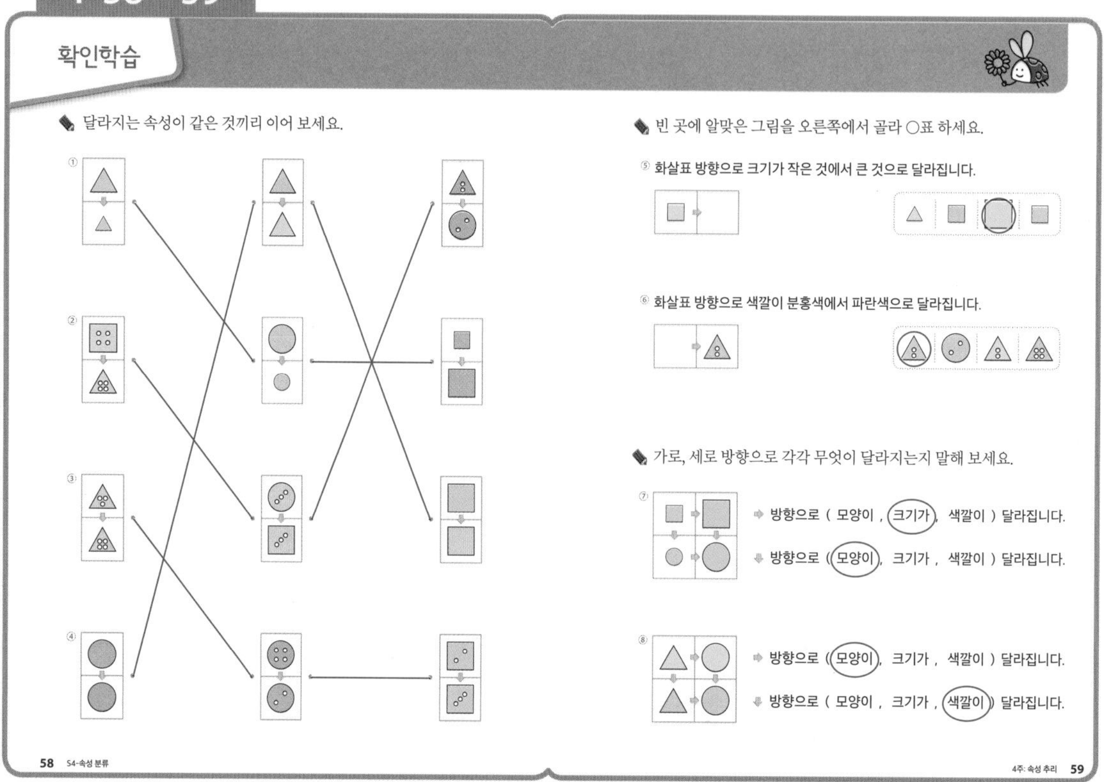

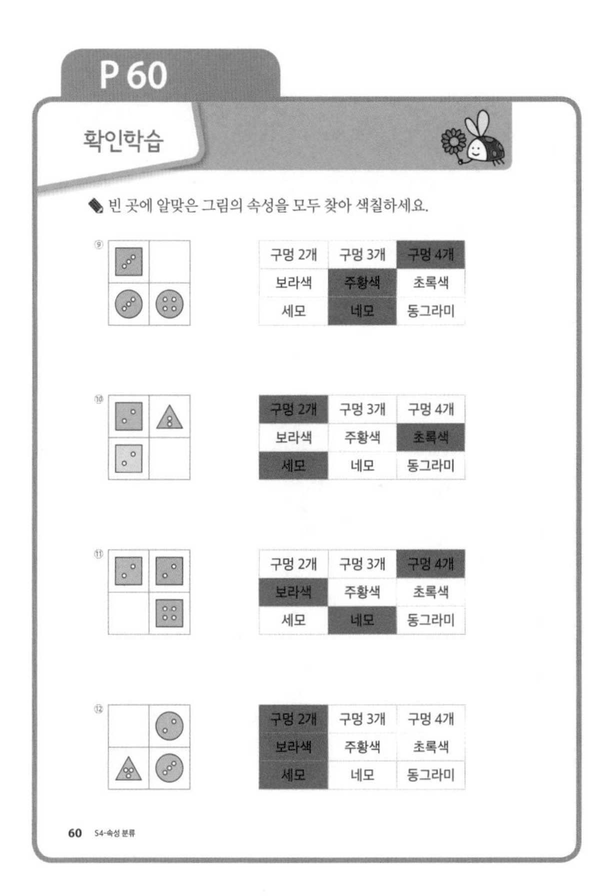

## P 60

### 확인학습

빈 곳에 알맞은 그림의 속성을 모두 찾아 색칠하세요.

⑨

| 구멍 2개 | 구멍 3개 | **구멍 4개** |
|---|---|---|
| 보라색 | **주황색** | 초록색 |
| 세모 | **네모** | 동그라미 |

⑩

| **구멍 2개** | 구멍 3개 | 구멍 4개 |
|---|---|---|
| 보라색 | 주황색 | **초록색** |
| **세모** | 네모 | 동그라미 |

⑪

| 구멍 2개 | 구멍 3개 | **구멍 4개** |
|---|---|---|
| **보라색** | 주황색 | 초록색 |
| 세모 | **네모** | 동그라미 |

⑫

| **구멍 2개** | 구멍 3개 | 구멍 4개 |
|---|---|---|
| **보라색** | 주황색 | 초록색 |
| **세모** | 네모 | 동그라미 |

60 S4-속성 분류

## P62 ~ 63

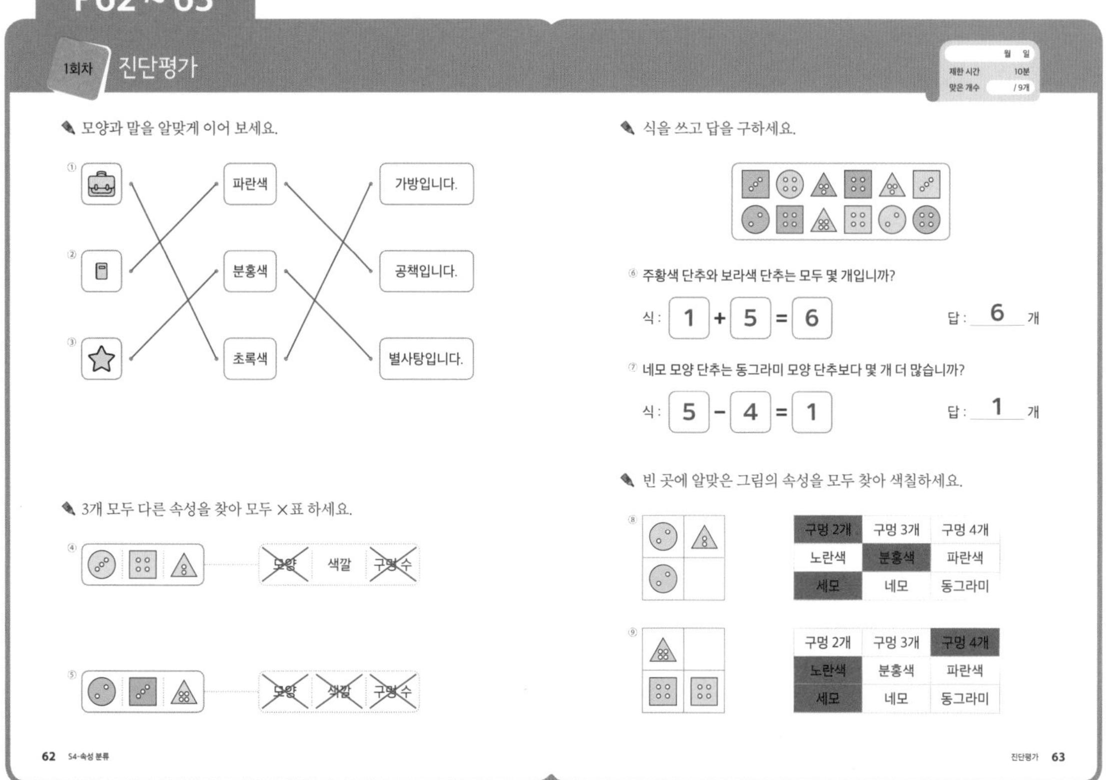

1회차 진단평가

월 일
제한 시간 10분
맞은 개수 /9개

모양과 말을 알맞게 이어 보세요.

①
②
③

파란색
분홍색
초록색

가방입니다.
공책입니다.
별사탕입니다.

3개 모두 다른 속성을 찾아 모두 ×표 하세요.

④ 모양 색깔 구멍 수

⑤ 모양 색깔 구멍 수

식을 쓰고 답을 구하세요.

⑥ 주황색 단추와 보라색 단추는 모두 몇 개입니까?

식 : 1 + 5 = 6 답 : 6 개

⑦ 네모 모양 단추는 동그라미 모양 단추보다 몇 개 더 많습니까?

식 : 5 - 4 = 1 답 : 1 개

빈 곳에 알맞은 그림의 속성을 모두 찾아 색칠하세요.

⑧

| 구멍 2개 | 구멍 3개 | 구멍 4개 |
|---|---|---|
| 노란색 | 분홍색 | 파란색 |
| 세모 | 네모 | 동그라미 |

⑨

| 구멍 2개 | 구멍 3개 | 구멍 4개 |
|---|---|---|
| 노란색 | 분홍색 | 파란색 |
| 세모 | 네모 | 동그라미 |

62 S4-속성 분류

진단평가 63

## P 64 ~ 65

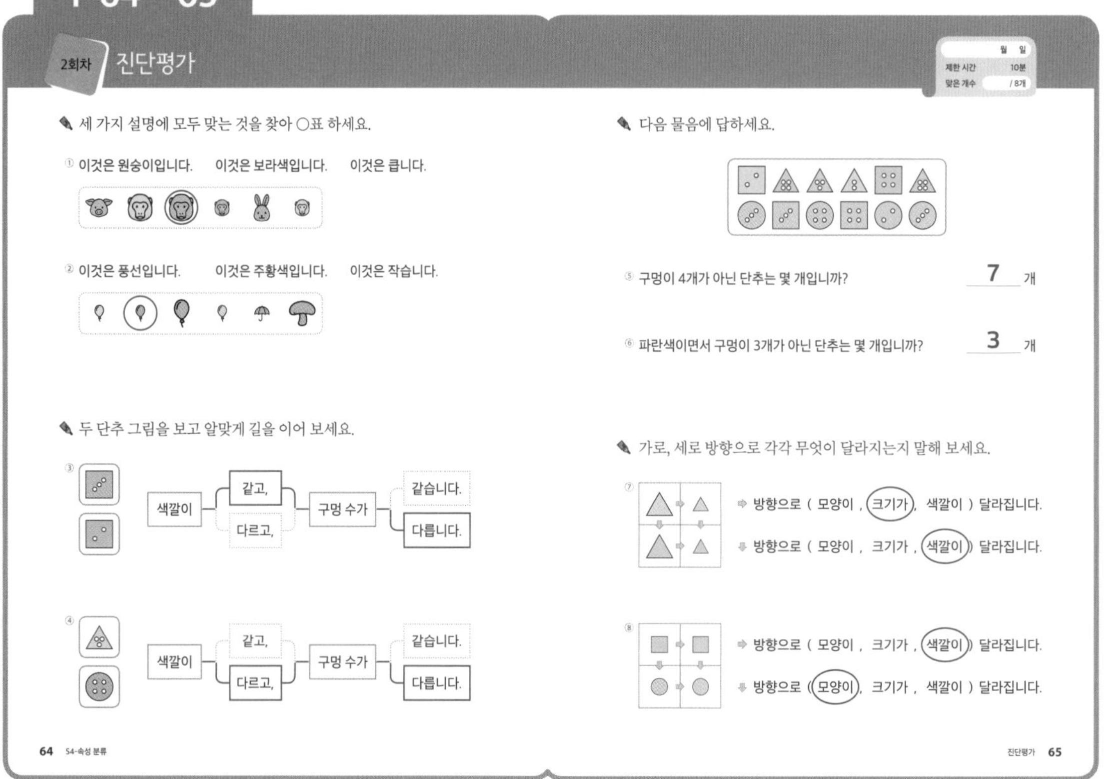

2회차 진단평가

월 일
제한 시간 10분
맞은 개수 /8개

세 가지 설명에 모두 맞는 것을 찾아 ○표 하세요.

① 이것은 원숭이입니다. 이것은 보라색입니다. 이것은 큽니다.

② 이것은 풍선입니다. 이것은 주황색입니다. 이것은 작습니다.

두 단추 그림을 보고 알맞게 길을 이어 보세요.

③ 색깔이 같고, 다르고, 구멍 수가 같습니다. 다릅니다.

④ 색깔이 같고, 다르고, 구멍 수가 같습니다. 다릅니다.

다음 물음에 답하세요.

⑤ 구멍이 4개가 아닌 단추는 몇 개입니까? 7 개

⑥ 파란색이면서 구멍이 3개가 아닌 단추는 몇 개입니까? 3 개

가로, 세로 방향으로 각각 무엇이 달라지는지 말해 보세요.

⑦
⇒ 방향으로 ( 모양이 , 크기가 , 색깔이 ) 달라집니다.
⇓ 방향으로 ( 모양이 , 크기가 , 색깔이 ) 달라집니다.

⑧
⇒ 방향으로 ( 모양이 , 크기가 , 색깔이 ) 달라집니다.
⇓ 방향으로 ( 모양이 , 크기가 , 색깔이 ) 달라집니다.

64 S4-속성 분류

진단평가 65

## P 66 ~ 67

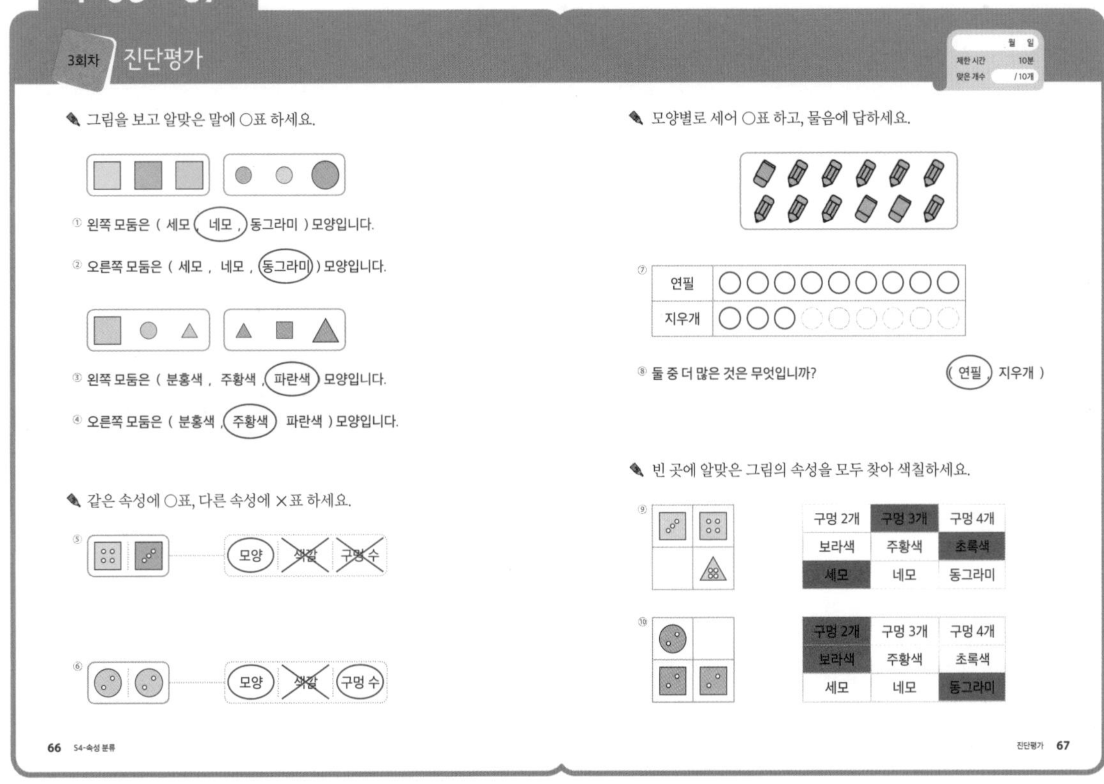

## P 68 ~ 69

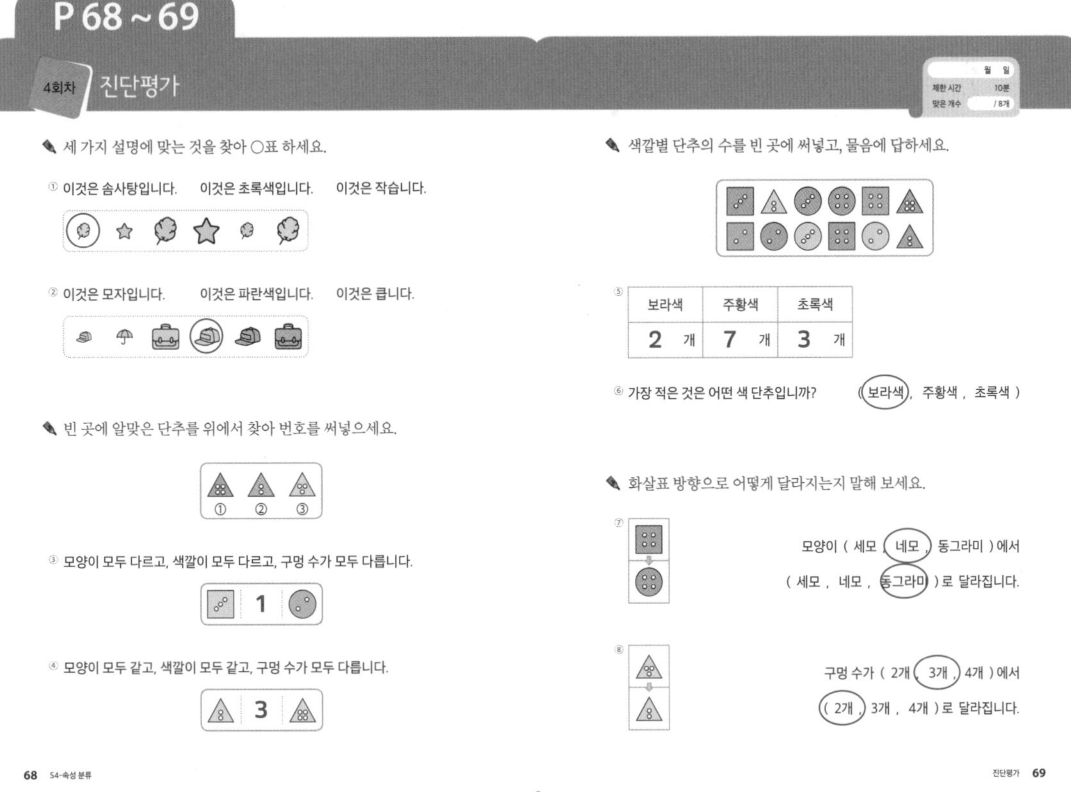

## P 70 ~ 71

5회차 진단평가



✎ 물음에 알맞은 번호를 써넣으세요.

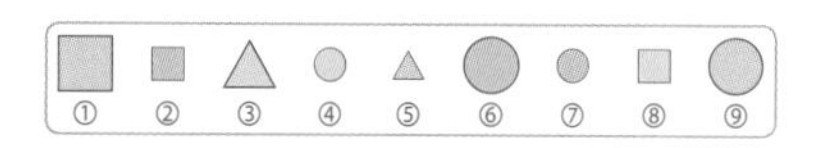


① 세모 모양을 모두 찾아보세요. 3 , 5

② 분홍색 동그라미 모양을 모두 찾아보세요. 6 , 7

③ 작은 노란색 네모 모양을 찾아보세요. 8

✎ 나머지와 다른 하나에 ×표 하고, 다른 이유를 말해 보세요.

④ 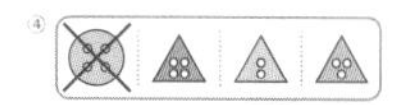

나머지 단추와 ( 모양이 , 색깔이 , 구멍 수가 ) 다릅니다.

⑤ 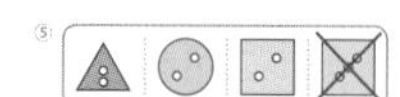

나머지 단추와 ( 모양이 , 색깔이 , 구멍 수가 ) 다릅니다.

✎ 식을 쓰고 답을 구하세요.

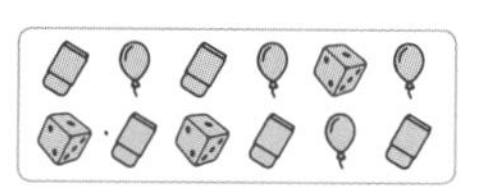

⑥ 주사위와 풍선은 모두 몇 개입니까?

식 : 3 + 4 = 7 답 : 7 개

⑦ 지우개는 주사위보다 몇 개 더 많습니까?

식 : 5 − 3 = 2 답 : 2 개

✎ 빈 곳에 알맞은 그림을 오른쪽에서 골라 ○표 하세요.

⑧ 화살표 방향으로 구멍 수가 3개에서 4개로 달라집니다.

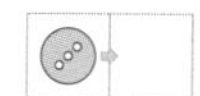

⑨ 화살표 방향으로 모양이 네모에서 세모로 달라집니다.

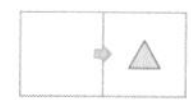

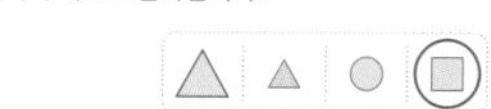

“

The essence of mathematics

is its freedom.

”

"수학의 본질은 그 자유로움에 있다."

*Georg Cantor, 게오르크 칸토어*